La grande école de Rosemont

LE COLLÈGE JEAN-EUDES

© 2003, Collège Jean-Eudes

ISBN 2-89585-000-3

Infographie: Double-V arts graphiques

Tous droits de traduction et d'adaptation réservés ; toute reproduction d'un extrait quelconque de ce livre par quelque procédé que ce soit, et notamment par photocopie ou microfilm, est strictement interdite sans l'autorisation écrite de l'éditeur.

Les Éditeurs Réunis
1817, rue Saint-Christophe
Montréal (Québec) H2L 3W9
Tél.: (514) 529-0479
Téléc.: (514) 529-1146

IMPRIMÉ AU QUÉBEC (Canada)

Jean-Guy Dubuc

La grande école de Rosemont
LE COLLÈGE JEAN-EUDES

TABLE DES MATIÈRES

PRÉFACE

Raconter l'histoire des cinquante ans d'un collège, c'est entrer dans la vie de quelque cinquante mille personnes, gens de chez nous, qui en furent les élèves au temps de leur adolescence. Elles ont grandi, vécu, exercé une profession, occupé des postes de commande, élevé une famille, travaillé à bâtir une société ; elles ont mis en application les apprentissages de vie appris dans les classes ou dans les laboratoires, dans la cour de récréation ou dans les bureaux des professeurs, bref, dans un quotidien rempli de découvertes qu'on ne peut jamais oublier.

Les pages qui suivent se veulent un grand portrait, une fresque dessinée à grands traits, qui chevauche les étapes et les années. Pour que les élèves d'hier et de demain, leurs parents et tous ceux que l'éducation intéresse puissent un peu mieux connaître la beauté d'un projet et de ce qu'il a pu engendrer.

Le regard est vaste et saute par-dessus mille détails, histoires de vie, blessures et victoires du quotidien ; il ne retient que les lignes les plus marquantes, illustrées par quelques faits, quelques personnes, quelques retours sur un passé qui a tellement évolué ces dernières années qu'on risque de mal le juger. Pour faire confiance à demain, il est bon de regarder de plus près ce qu'hier a été.

Des noms, des dates, des moments de vie, oui ; mais surtout, un esprit, un fondateur, des pionniers, des prophètes, des gens dévoués, un monde heureux. Voilà l'histoire que l'on voudra retenir d'eux.

PREMIÈRE PARTIE

De Paris à Rosemont

ROSEMONT, MONTRÉAL, 1950

Les gens de Montréal, de toute l'île de Montréal, vivent main-tenant en «arrondissements»; plusieurs ont cependant conservé, et probablement pour encore longtemps, la relation d'identité à leur ville d'autrefois, au quartier de leur enfance, à un environnement qui garde encore ses caractéristiques propres. Pour comprendre les gens d'un milieu, il faut savoir leurs ori-gines et leur histoire: ce sont elles qui donnent sens à leurs ins-titutions qui ont traversé le temps.

On se souviendra toujours, espérons-le, que le Collège Jean-Eudes a trouvé ses origines à Rosemont, qu'il a vu le jour par et pour les gens de Rosemont, qu'il en a porté la couleur, l'image, la fierté. Il faut donc, pour saisir le souci toujours conservé de demeurer fidèle à ses racines, pénétrer d'abord ce quartier de Montréal qui, avec sa spécificité très marquée, a eu une constante et forte influence sur ce collège qu'il s'est un jour donné.

On dit Rosemont; ce sont en fait ses habitants qui ont marqué le collège. Ils le désiraient pour eux, mais surtout pour leurs enfants à qui ils voulaient donner non seulement le meilleur d'eux-mêmes, mais aussi les meilleurs instruments, les meilleurs outils nécessaires à leur épanouissement dans un monde en développement. Car c'est là le sens premier du Collège Jean-Eudes: un lieu d'épanouissement et de dépassement où une population humble et fière décide de se bâtir un avenir aussi beau et aussi grand que ses rêves.

LE QUARTIER ROSEMONT, AU MILIEU DU XXᵉ SIÈCLE

Un petit coin de banlieue montréalaise, un secteur de ville encore peu peuplé, mais un milieu de vie qui se développe harmonieusement. En fait, on croit sentir, depuis les premiers jours de ce quartier, qui fut même une municipalité, le souci, chez les gens qui l'habitent, de préserver un ensemble de valeurs humaines dans une évolution tenue en main. Il ferait bon, semble-t-il, d'y vivre et d'y grandir. On voulait même s'y instruire.

Dès le départ, le nom de Rosemont porte en lui une touche humaine, empreinte de sensibilité: il rappelle d'abord le souvenir ému d'un homme pour une femme... Laissons un peu parler l'histoire.

Au début du siècle, l'espace qu'occupe aujourd'hui Rosemont appartenait en partie à un village du nom de la Petite-Côte qui, en 1895, était extrait de la Côte-de-la-Visitation, un peu

L'ancien chemin de la Côte-de-la-Visitation, appelé chemin de la Petite-Côte, puis boulevard Rosemont, vers 1924.

plus au nord de la ville. Ce petit village était assez isolé : des champs inhabités le séparaient du cœur de Montréal, et ses habitants vivaient près de la ville dans la douceur de la campagne.

Jusqu'à ce que le Canadien Pacifique décide d'y ériger, au nord de la rue Sherbrooke, en dessous de la Petite-Côte, d'immenses usines où l'on construirait locomotives et trains. La compagnie acheta beaucoup de terrain ; trop, même. Il fallut en revendre une partie à un syndicat immobilier dirigé par des hommes d'affaires importants de l'époque, U.-H. Dandurand et Herbert Holt. Pour rentabiliser leur achat, ils décidèrent de diviser l'espace environnant, non utilisé par l'usine et appelé la terre Crawford, en un grand nombre de petits lots où pourraient s'ériger des demeures familiales. Des terrains qui se trouvaient justement sur le territoire de la Petite-Côte. Et qui, évidemment, allaient y emmener une nouvelle population de jeunes propriétaires.

Mais le village refusait de grandir en incorporant dans ses limites un ensemble immobilier qui transformerait son image. Les investisseurs décidèrent alors de faire appel à Québec pour ériger une nouvelle municipalité qui regrouperait cette nouvelle population et formerait une communauté de vie autonome, semblable à celles qui l'entouraient et pourtant différente des autres. Québec accepta l'idée et, en 1905, le projet voyait le jour.

Quel nom alors donner à cette petite enclave municipale, née de la tête d'un homme aux visées d'avenir surprenantes et soucieux de développement urbain ? U.-H. Dandurand, peut-être un brin sentimental, probablement attaché aux valeurs familiales ou simplement désireux de rendre hommage à la personne la plus importante de sa vie, proposa le nom de sa mère : Rose. On lia alors le nom de la femme et de la fleur à la vue du paysage, un petit mont, une terre légèrement ondulée, en jetant son œil du côté nord. La fleur, la femme et la minuscule montagne s'unirent. Et ainsi, à l'est et au-delà des Usines Angus, naquit Rosemont, portant en lui un doux souvenir perché sur une butte.

La nouvelle municipalité connut une très courte histoire : en 1910, elle perdait son autonomie et devenait un simple quartier de Montréal. Cependant, son annexion à la grande ville lui permit de rapidement se développer pour devenir un des plus jolis espaces champêtres de l'île, au milieu duquel on construisit de petites et coquettes maisons.

Évidemment, la vie d'un tel quartier se concentrait, en tout respect pour les habitudes de l'époque, autour de l'église paroissiale. La paroisse Sainte-Philomène comptait déjà, en 1950, quelque 18 000 personnes. Il faut se rappeler qu'à cette époque la majorité des catholiques fréquentaient leur église. Le développement de Rosemont incita donc l'archevêché à fonder une autre paroisse, délimitée par le boulevard Pie IX et la 9ᵉ Avenue, le boulevard Rosemont et la rue Bélanger. On lui donna le nom de Saint-Eugène. Et Mᵍʳ Paul-Émile Léger, archevêque de Montréal, nomma à sa tête l'abbé Gérard Cornellier. Il faut se rappeler ce nom : il est important dans l'histoire du collège.

L'abbé J.-Gérard Cornellier

LES FONDATEURS

Le nouveau curé est un homme de vision. Il voit sa paroisse se peupler de jeunes couples et de petites familles. Il sait qu'il faut leur offrir un des moyens de développement dans leur propre quartier. Un de ceux-là lui paraît essentiel : une maison d'éducation supérieure. Si les jeunes ont un collège près d'eux, ils pourront plus facilement poursuivre des études qui les conduiront à l'université et, conséquemment, à la prise en charge de la société. Plus encore : si Rosemont peut offrir à sa population locale une maison d'enseignement de haut niveau, de nouvelles familles s'en approcheront et des jeunes de partout voudront s'ajouter à ceux qui l'entourent. Et puis, l'abbé Cornellier est apôtre : il sait qu'un bon collège est normalement pépinière de vocations sacerdotales et il se dit tout naturellement qu'il pourrait mieux servir l'Église s'il lui offrait de nouveaux prêtres…

Mais où trouver une congrégation religieuse de Montréal ou d'ailleurs ayant l'expérience, le personnel et les moyens nécessaires à la prise en charge d'une institution de haute qualité comme celle qu'il envisage ? Ne pouvant réaliser seul le projet qu'il caressait, il se rend à l'archevêché et s'en ouvre à son évêque, premier pasteur du diocèse.

Mgr Paul-Émile Léger, qui marqua plus tard, de bien des façons, le paysage religieux de Montréal, est alors un jeune archevêque. Sulpicien, il avait été missionnaire au Japon, puis curé de la cathédrale de Valleyfield, avant de diriger le Collège canadien, à Rome, maison où logeaient les

Le cardinal Paul-Émile Léger,
archevêque de Montréal.

étudiants canadiens qui devaient poursuivre des études supérieures en philosophie et en théologie. Un endroit privilégié pour se faire de bons amis à la Curie romaine, quartier général de l'Église universelle. Mgr Léger est ainsi devenu un proche du pape Pie XII, qui appréciait en lui son dynamisme et son grand amour de l'Église.

Mgr Léger est encore à Rome quand, en 1950, se produit un coup de théâtre dans l'Église canadienne : Mgr Joseph Charbonneau, archevêque de Montréal, est déplacé de son siège, à la suite de pressions politiques et ecclésiastiques. Estimé des uns, il était craint des autres. On n'appréciait guère sa liberté d'esprit et d'expression, face au gouvernement comme à ses alliés politiques ; même ses confrères dans l'épiscopat lui reprochaient ses ouvertures sociales envers les défavorisés. On a interprété son départ comme une collusion secrète des forces cléricales et politiques, dirigées par le premier ministre d'alors, Maurice Le Noblet Duplessis.

La succession sera évidemment très délicate : Pie XII fera alors confiance à ce jeune ami du Collège canadien, Mgr Léger, pour prendre la tête du plus important diocèse du Canada dans un contexte socioreligieux divisé. Le nouvel évêque arrivait donc à Montréal avec l'assurance de profiter de l'appui du Pape, mais aussi la crainte d'affronter une Église pas nécessairement prête à le recevoir. Comme on était encore à l'époque d'une Église puissante, capable d'imposer ses vues à une population docile et unanime dans sa foi, Mgr Léger espérait que ses talents d'orateur et de diplomate sauraient panser les blessures de ceux qui avaient mal accepté le départ de son prédécesseur.

Le nouveau prélat croyait beaucoup en la présence la plus active, et la plus visible possible, de l'Église au cœur de la société. Il voulait fonder des paroisses et mettre sur pied des institutions qui assureraient à l'Église une place prépondérante au milieu du monde. Parmi ces institutions, il paraissait évident que les maisons d'enseignement allaient devenir une priorité à l'agenda de l'évêque. Il ne fut donc pas difficile à l'abbé Cornellier, en avril 1952, de le convaincre de son projet ; il fallait ouvrir un nouveau collège à Rosemont, ce quartier de Montréal appelé à se développer ; et il fallait dès maintenant offrir à sa population des services d'éducation chrétienne de haut niveau.

Le projet était d'envergure et il demandait une importante concertation de forces ou d'appuis divers. Pour cela, l'archevêque devait se servir de sa forte personnalité et de ses bonnes relations avec les diverses instances ecclésiastiques, pour convaincre une communauté religieuse d'expérience d'en prendre la responsabilité. Il se mit à la recherche d'une communauté d'enseignants qui avait fait ses preuves et dont la tradition de compétence pouvait assurer un brillant avenir à l'institution projetée.

Mgr Léger ne connaît que vaguement la congrégation des Pères eudistes. Il sait que quelques-uns de ses membres sont déjà installés dans son diocèse et qu'ils ont la réputation d'être de grands éducateurs en d'autres régions du Canada, principalement dans les Provinces maritimes. Mais leur présence dans la région de Montréal n'est alors d'aucune façon liée à l'enseignement : depuis 1917, ils étaient responsables de la paroisse Bon-Pasteur, au parc Laval, sur l'île Jésus, de l'autre côté de la rivière des Prairies, en face de Montréal. C'est donc un tout autre ministère qui les occupe depuis déjà un bon moment au service de l'Église.

Bref retour dans le passé : il faut se souvenir que Mgr Ignace Bourget, archevêque de Montréal au siècle précédent, s'était donné comme mission de faire venir chez lui le plus grand nombre possible de congrégations religieuses françaises pour l'aider à faire grandir l'Église du Québec, selon une tradition qu'il admirait et voulait transmettre chez lui. Il avait donc multiplié, avec beaucoup de détermination et de confiance en l'avenir, les fondations religieuses nouvelles, invitant avec insistance des congrégations françaises à créer de nouvelles maisons au Canada. Il faut donc attribuer aux projets expansionnistes de Mgr Bourget la présence de Pères eudistes à Montréal dans des fonctions qui ne leur étaient pourtant pas familières. Mais il faut surtout nous attarder à mieux connaître

Monseigneur Ignace Bourget

leur fondateur, Jean Eudes, dont le collège porte le nom, qui eut une énorme influence sur la France du XVIIe siècle – et sur Rosemont trois siècles plus tard.

LE DESTIN DE JEAN EUDES

On a dit de lui : *« Il fut la merveille de son siècle »* (M. Olier). Ou encore : *« Il peut être rangé parmi les grandes lumières de l'Église ; sa doctrine spirituelle est d'une profondeur et d'une sûreté merveilleuses »* (Cardinal Vivés). Les termes paraissent presque excessifs tellement ils sont élogieux pour qualifier celui qui, au XVIIe siècle, fut un des phares les plus brillants au service de la Parole de Dieu. Pourtant, cette époque a connu un bouquet prestigieux de personnages qui ont de bien des façons influencé notre culture : « le grand siècle » est celui des grands auteurs, des grands

*Saint Jean Eudes
(1601-1680)*

mystiques, des grands fondateurs comme des grands découvreurs. Le siècle du « Roi-Soleil » a transmis de la France une image de gloire à nulle autre pareille. Pour s'illustrer alors dans un contexte aussi faste, il fallait une personnalité charismatique bien au-dessus de la moyenne. Comme a été celle de Jean Eudes.

Qui était-il ?

Lui-même se serait défini comme un missionnaire… Pas au sens où le XXe siècle l'entend, avec l'image du religieux qui quitte son pays pour des terres éloignées, pour vivre au sein de cultures parfois étranges et toujours différentes, dans le but de convertir à la foi chrétienne des populations liées à des rites religieux païens. Non : Jean Eudes a plutôt employé sa vie auprès des gens de son

16

pays, de Normandie, de Bretagne ou de Paris, pour les entraîner, pendant des semaines ou des mois, dans une démarche spirituelle, appelée une mission, qui devait les convaincre de s'attacher à la foi de leur enfance. Car le XVIIᵉ siècle, peut-être à cause des merveilles qu'il faisait découvrir à ceux qui y vivaient, ne savait pas encore faire des liens efficaces entre les beautés du monde et celle de la foi. Le clergé de l'époque, pas toujours averti des sciences théologiques ou exégétiques, n'avait pas toujours la préparation nécessaire pour soutenir le peuple dans sa foi. Il fallait alors que certaines personnes plus instruites ou plus apôtres entreprennent des « missions » dans les paroisses partout dispersées pour renseigner la population sur ses engagements religieux et la convoquer à vivre dans leur observance.

La foi chrétienne, faut-il l'admettre, on ne la connaissait pas. À l'époque, les futurs prêtres suivaient quelques cours dans l'une ou l'autre des facultés de théologie existantes dans leur coin de pays. Quand ils avaient acquis quelques notions de latin, de bible et de liturgie, suffisamment pour célébrer la messe et faire quelques sermons, ils se rendaient auprès d'un évêque à qui ils offraient leurs services. Leur science était courte ; leur influence conséquemment minime, évidemment. S'ils savaient baptiser les fidèles, ils avaient bien du mal à les convaincre de pratiquer une vie fidèle aux obligations de leur baptême. Le peuple connaissait bien peu l'Évangile ; et le clergé, aussi généreux fût-il, guère davantage.

L'église de Ri, village natal de Jean Eudes.

17

On dit que Jean Eudes prêcha, en 40 ans de vie sacerdotale, 120 missions, chacune de deux à cinq mois, devant des foules qui se comptaient par milliers ; on parle même, en certaines occasions, de 30 000 personnes à la fois pour entendre un de ses sermons…

Pour ajouter à la valeur de la mission, Jean Eudes demandait l'aide des prêtres de toute la région pour offrir les sacrements aux fidèles. Il donnait à l'événement une grandeur et un faste inhabituels. Tout le peuple était alors convié, et la parole du missionnaire faisait le reste. Des personnes pouvaient s'installer à l'église pendant quatre ou cinq jours avec leur morceau de pain comme simple nourriture, en attendant de pouvoir se rendre au confessionnal. Les prières succédaient aux sermons, le catéchisme préparait aux processions, les larmes de contrition faisaient place aux bonnes résolutions. Un village retrouvait sa foi à la fin d'une mission. On comprend assez bien pourquoi : Bossuet, celui que la tradition catholique reconnaît comme le plus grand prédicateur de son siècle, disait des sermons de Jean Eudes : *« C'est comme cela que nous devrions tous prêcher. »* On l'appela *« le saint Vincent de Paul de la Normandie »*. C'est dire l'influence qu'il pouvait avoir dans un milieu où il séjournait quelque six ou huit semaines. À la fin d'une mission, Jean Eudes partait pour une paroisse voisine, ayant transmis sa flamme et son savoir à un clergé revigoré et à son peuple plus éclairé.

Il choisit la vie religieuse contre le gré de ses parents, qu'il finit pourtant par convaincre de la valeur de son projet. Ordonné prêtre à Paris, le 20 décembre 1625, il s'était joint à la congrégation de l'Oratoire, pour se donner une famille religieuse. L'Oratoire n'était pas vraiment un ordre religieux, mais plutôt une société de prêtres vivant en communauté, comme le faisaient déjà les sulpiciens, à cette époque, c'est-à-dire des ~~prêtres~~ ne prononçant pas les vœux d'obéissance et de pauvreté, ~~selon~~ la coutume pour les religieux au sein de l'Église.

Malheureusement, peu de temps après son ordination, le jeune prêtre tomba sérieusement malade et dut être soigné durant deux longues années avant d'entreprendre son ministère sacerdotal. Un ministère qu'il se forgea lui-même et qui allait bouleverser toute une partie de la France. Conscient des faiblesses de l'éducation de ses confrères, il décida un jour de fonder un séminaire où les jeunes aspirants au sacerdoce pourraient vivre ensemble, recevoir des cours pour les instruire et une formation spirituelle pour les soutenir dans leur vie personnelle. Il choisit alors, pour atteindre son but, de quitter sa communauté de l'Oratoire pour ériger à Caen, dans le diocèse de Bayeux, un premier séminaire.

En 1643, plus précisément le 25 mars, il regroupe autour de lui quelques confrères partageant la même passion de l'éducation, la fondation de la congrégation de Jésus et Marie, dont les membres furent bientôt appelés les Eudistes, prêtres voués à l'éducation et à la formation des jeunes d'abord, de l'ensemble de la société ensuite. Depuis ce jour, tous ceux qui ont suivi les traces du fondateur signent leur nom, accompagné des trois lettres qui se réfèrent à leur origine : c.j.m.

Quinze ans plus tard, en 1658, il pouvait présenter à son évêque 350 nouveaux prêtres, bien instruits et bien préparés pour leur ministère ! Son succès était foudroyant : il fallut construire une autre maison, au cœur de la ville. Puis ce furent les villes de Coutances, de Lisieux, de Rouen et d'Évreux qui firent appel à son talent et à sa passion d'éducateur : Jean Eudes fonda ainsi, au nord-ouest de la France, six séminaires au service des jeunes.

Étrange coïncidence : Jean Eudes est né le 14 novembre 1601, la même année que Louis XIII, dans la paroisse de Ri, du diocèse de Sées, en Normandie, au nord-ouest de la France. Ses qualités de prédicateur et d'homme de grande spiritualité l'amenèrent à prêcher la retraite privée du roi. Devant le monarque, le religieux conserva toujours sa pleine et entière liberté d'expression. À un point tel que Louis XIV en prit un jour ombrage et Jean Eudes fut alors mal vu à la cour. Il ne changea ni de verbe ni d'attitude : la Parole qu'il prêchait devait être non équivoque, sans ambiguïté, quel que soit l'auditoire qu'elle touchait.

On pourrait dire que ses relations personnelles le préparaient, sans qu'il en fût alors conscient, à étendre un jour son activité apostolique en terre canadienne. En effet, il partageait une même spiritualité avec des êtres qu'il affectionnait et qui le quittèrent pour devenir des fondateurs éminents de l'Église canadienne : Mgr François de Montmorency Laval et Mère Marie de l'Incarnation.

Saint Jean Eudes

Lui, Jean Eudes, n'est jamais venu en Amérique. Son esprit, sa spiritualité et son esprit de service, il les a légués à ses religieux, pour qu'ils le transmettent à leur milieu de vie. Les Eudistes se faisaient donc très présents à leur époque, animés d'un même désir de transmettre autour d'eux les lumières nécessaires à la compréhension et à l'incarnation de la foi. En 1702, ils possédaient ou dirigeaient, en France, 12 séminaires et cinq collèges. Les Eudistes se sont ainsi acquis une réputation d'éducateurs du plus haut niveau, avant de répondre aux appels de pays étrangers.

LES EUDISTES EN AMÉRIQUE

Quand les Eudistes sont venus s'implanter à Montréal, d'abord en banlieue et ensuite dans un nouveau quartier en pleine expansion, ils n'arrivaient pas directement de France. Depuis la fin du siècle précédent, ils avaient pris racine en terre canadienne, à l'extrémité du pays qui touche l'Atlantique, plus précisément en Nouvelle-Écosse. Leur itinéraire est aussi surprenant qu'intéressant. Cela vaut la peine de le parcourir rapidement pour comprendre leurs préoccupations dans l'implantation d'un collège à Rosemont.

Les « ancêtres » des Eudistes de Montréal débarquèrent en Acadie, à la fin du XIXᵉ siècle. Ils furent à l'origine d'une belle aventure qui se répandit rapidement le long du Saint-Laurent, puis jusqu'à Montréal, véhiculant toujours la même passion de l'éducation que leur avait transmise leur fondateur.

En 1890, les Acadiens demeurent un peuple blessé. Ils étaient 12 000, en 1755, quand le colonisateur anglais déporta 7 000 d'entre eux pour éliminer leurs souches françaises en terre canadienne. Certains revinrent, après 1785, quand le traité de Paris mit fin à la guerre de Sept Ans ; ils arrivaient de Nouvelle-Angleterre, de Louisiane, de Saint-Pierre-et-Miquelon ou d'ailleurs pour se joindre à ceux qui avaient pu survivre à la domination anglaise. Ils étaient pauvres, sans ressource ni moyens financiers capables de les sortir de leur malheur. Le reste du monde semblait les avoir

Bathurst, Nouveau-Brunswick, au milieu des années 1800.

oubliés ; il leur fallait une détermination à toute épreuve pour protéger malgré tout la langue et la foi qui les rassemblaient.

Assez étrangement, c'est l'archevêque irlandais de Halifax, Mᵍʳ Cornelius O'Brien, qui fit les premiers pas pour offrir à ses diocésains francophones une maison d'éducation qui répondrait à leurs besoins. « *Il leur fallait*, disait-il, *non seulement des hommes d'affaires à qui un cours commercial bilingue pourrait suffire, mais toute une élite de professionnels : journalistes, avocats, médecins, des hommes d'une culture plus étendue qui deviendraient peu à peu les animateurs de la race, les défenseurs de ses droits, les porte-drapeaux de ses revendications... »*

Ces mots furent rapportés par le père Alexandre Braud, premier Eudiste ordonné prêtre par Mᵍʳ O'Brien, en 1895, et qui se fit l'historien des premières heures de la Congrégation en terre acadienne. Dans le contexte d'aujourd'hui, on croirait qu'ils furent très récemment écrits...

Le 4 novembre 1891, Mᵍʳ O'Brien venait présider, à Church Point, la bénédiction et l'inauguration du Collège Sainte-Anne, première maison d'éducation des Eudistes au Canada. C'était un collège classique, qui voulait *« promouvoir les intérêts du peuple acadien, dont le premier, après la foi catholique, est la culture française »*. Mais une question se pose, importante dans le contexte de l'époque : peut-il être un collège anglais ? La réponse des Eudistes

Le Collège Sainte-Anne, à Pointe-de-l'Église, en Nouvelle-Écosse, vers 1920.

fut non, évidemment. *« Sera-ce en français, uniquement ? Pas davantage. Un collège uniquement français pour préparer l'élite d'un petit peuple qui doit assurer d'abord sa subsistance au sein d'une population anglaise serait une folle utopie. Il reste la formule bilingue. »* Le réalisme était déjà à l'ordre du jour dans l'esprit des Eudistes.

Il faut donc mentionner la fidélité des Eudistes à la mission de Jean Eudes : cinq ans seulement après leur arrivée en Nouvelle-Écosse, ils ouvraient le Séminaire Saint-Cœur-de-Marie, à Halifax, pour la formation de futurs prêtres. Trois ans plus tard, malgré les difficultés d'argent où se trouvait la Congrégation, on

Le Collège Sacré-Cœur, de Caraquet, N.-B.

Le Collège Sacré-Cœur, de Bathurst, N.-B.

Le Collège Saint-Louis, d'Edmunston, N.-B.

inaugurait le Collège Sacré-Cœur, à Caraquet, au Nouveau-Brunswick. Et en 1903, les Eudistes «débarquaient» sur la Côte-Nord, où ils ouvrirent paroisses et missions. En 1903, on y comptait 9 650 catholiques, 28 écoles primaires, 950 élèves. Au service de tout ce monde : 16 Eudistes, 3 Oblats et un séculier…

Puis, ce fut l'expansion de la Congrégation dans la province de Québec : d'abord, dans la région du Bas-Saint-Laurent et de la Gaspésie, avec des fondations à Rimouski, à Pointe-au-Père et à Chandler. Ensuite, à Chicoutimi, à Valleyfield. On voit qu'avant de prendre sérieusement place dans la région de Québec et de Montréal, ils avaient parcouru tout un bout de chemin en terre canadienne.

À l'époque, Mgr Paul Bruchési était archevêque de Montréal. Il ne tarda pas à entendre parler de la qualité de la présence pastorale des Eudistes, qui exerçaient leur activité pastorale avec les Sœurs du Bon-Pasteur, dans les prisons de Montréal. Comme il songeait à fonder une paroisse à Laval-des-Rapides, il pensa à

L'archevêque Paul Bruchési

Le père Prosper Lebastard

l'offrir à la communauté des Eudistes déjà sur place et il présenta son projet au père Prosper Lebastard, supérieur provincial de la communauté. Pour l'inciter à accepter sa proposition, l'évêque laissa miroiter la possibilité de revenus fort intéressants liés à la direction d'une grosse paroisse, revenus qui pourraient servir à supporter d'autres œuvres moins pécuniairement profitables mais chères aux Eudistes.

La mission des Eudistes, on le sait, était d'abord l'éducation du peuple chrétien, accompagnée de la formation des prêtres pour répondre aux besoins de leurs missions ; et plus tard apparut, tout naturellement et de façon plus spécifique, l'éducation des jeunes garçons. En plus de la générosité et de la compétence du personnel, il fallait de solides supports matériels pour entretenir des maisons d'enseignement, principalement dans les régions éloignées des Provinces maritimes du Canada.

L'argument fut-il convaincant ? Le père Lebastard écrivit au Conseil général, à Paris, qu'il voyait dans la future paroisse *« un poste réellement rémunérateur (…) susceptible d'aider efficacement au fonctionnement des œuvres d'intérêt général »*. Il eut donc peut-être un certain poids. Mais il était aussi évident que c'est la volonté de poursuivre sa mission éducative qui décida le père provincial à engager les Eudistes dans le ministère paroissial de Laval-des-Rapides, car la préoccupation pastorale s'ancrait dans la vision réaliste d'une situation globale. Une tradition qui s'est conservée, sans faille, depuis ce temps, dans la communauté. Dans une lettre datée du 14 mai 1917, Mgr Bruchési confiait « aux Pères eudistes la direction de la future paroisse Bon-Pasteur au parc Laval », sur l'île Jésus, de l'autre côté de la rivière des Prairies, en face de Montréal.

Les Eudistes, tout engagés qu'ils étaient dans leurs activités paroissiales, ne renonçaient pas pour autant à leur vocation première : quelques années plus tard, en fidélité avec leurs traditions, les prêtres de la paroisse ouvrirent leur école, tout près de l'église. En acceptant un nouveau ministère, ils n'avaient pas oublié celui qui les avait conduits au Canada, dans les Provinces maritimes. Et ils ne s'étaient pas éloignés de la mission que leur avait laissée leur fondateur.

En septembre 1937, on entreprit donc à Québec la construction de l'Externat classique Saint-Jean-Eudes. Et, deux ans plus tard, les élèves entraient dans le nouvel édifice. À remarquer : le contrat de construction fut signé avec un entrepreneur au montant total de 168 621 $... Également à noter : un ancien professeur écrit que *« cet Externat a une clientèle surtout formée de fils d'ouvriers et de fonctionnaires (...) auxquels sont venus s'ajouter quelques fils de professionnels vivant très près des ouvriers »*. Ce qui signifie un souci de servir une clientèle aux moyens financiers limités, de soutenir un projet éducatif offert à tous ceux qui voulaient librement s'y engager, nonobstant les conditions familiales. Un objectif qui ne fut jamais renié.

Premier sigle de la congrégation eudiste

Sigle actuel

Vingt-cinq ans plus tard, c'est à Montréal que s'annonce un nouveau défi. On s'en est éloigné un moment, le temps de nous replacer dans un contexte capable de reconstituer le passé, de nous faire connaître les personnes et leurs gestes, pour comprendre la Fondation de Montréal. Les Eudistes n'auraient pu fonder ici une maison d'enseignement au plus haut niveau de qualité s'ils n'avaient puisé ailleurs, avec autant de talent que d'acharnement, dans leur histoire et dans leurs prédécesseurs, les ressources nécessaires à un tel projet. La maison de Rosemont tient d'une part son origine de la volonté d'un évêque et d'un curé ; mais aussi, d'autre part, de la fidélité à un engagement, à une spiritualité, à un fondateur, à un passé qu'il faut bien qualifier de glorieux. C'est ce merveilleux ensemble qui a inspiré le Collège des Eudistes de Montréal.

– INTERMÈDE – LE QUÉBEC DES ANNÉES 50

La guerre de 1939-1945 n'a pas fait mal aux Canadiens ; bien au contraire. D'abord, les combats se déroulaient bien loin de chez nous : la France, l'Italie, l'Angleterre et l'Allemagne appartenaient aux « vieux pays ». Les Canadiens anglais pouvaient avoir certaines relations familiales ou amicales avec le monde britannique et porter ainsi une partie de leur souffrance ; ce qui était très peu le cas des Canadiens français dont les liens, avec la France, étaient plus littéraires que réellement humains. Il est vrai que la hiérarchie catholique québécoise aimait se référer à des auteurs français dont la pensée avait façonné la philosophie des collèges et la théologie des professeurs. Mais le monde littéraire était relativement discret et essentiellement réservé à l'élite. Les communications dépendaient exclusivement des journaux locaux, sans correspondants à l'étranger ; ce fut la radio, principalement celle de Radio-Canada, qui put faire battre le cœur des francophones d'ici au rythme de l'Europe.

Plusieurs familles craignaient pour un fils ou un mari parti au front avec les Fusillers Mont-Royal ou quelque autre régiment des Forces armées canadiennes. Le « faux » débarquement de Dieppe, où moururent des centaines de Canadiens dont plusieurs Québécois, créa un vif émoi, qui convainquit davantage les jeunes gens du danger de la conscription obligatoire. Mais ils n'y échappèrent pas : le gouvernement fédéral fit passer une loi,

Soldats du Royal 22ᵉ régiment

contre le sentiment des Québécois, qui obligea tous les jeunes Canadiens à se préparer à se rendre au front, principalement en Hollande, en Belgique, en Italie et en France, pour libérer les pays envahis par les armées d'Hitler. Le rationnement de certains aliments privait les tables de certaines douceurs, et celui de l'essence raccourcissait les randonnées en automobile. Sur des placards publicitaires, dans les journaux et à la radio, on demandait à tous les Canadiens de faire « leur effort de guerre ».

Mais la guerre créait aussi des emplois. L'usine de munitions de Saint-Paul-l'Ermite, dans la banlieue est de Montréal, employait à elle seule 12 000 ouvriers, dont 60 % étaient des femmes, à des salaires que l'on n'avait encore jamais vus. Les usines Angus furent aussi désignées pour la construction de tanks et de chars d'assaut ; le nombre de ses ouvriers doubla et même tripla en quelques mois. Ce qui signifiait, pour bien des jeunes et pour autant de familles, une augmentation importante du niveau de vie.

En 1945, les Canadiens retrouvaient les biens dont ils avaient été temporairement privés ; les soldats étaient rapatriés, les familles de nouveau regroupées, la vie reprenait un cours normal après avoir été un moment perturbée. Le goût de s'instruire, de grandir, de prendre davantage de place dans la société devait normalement s'affirmer. La paix ramène l'espoir.

Ce qui signifie qu'au début des années 50 la vie est relativement bonne pour les Montréalais. Après les années de guerre qui avaient inquiété les uns et profité aux autres, leur ville traversait une période de pleine effervescence.

Pourtant, dans une autre vision des choses, plusieurs observateurs diront, plus tard, dans la foulée de la « révolution tranquille », que le Québec, coupé du reste du monde, vivait à cette époque sous le régime de « la grande noirceur », c'est-à-dire dans l'obéissance aveugle à une Église omnipotente et omniprésente. Il faut bien reconnaître que l'Église possédait presque tous les pouvoirs dans les domaines de l'éducation comme de la santé et que son influence se répandait obligatoirement à tous les

Les usines Angus à Rosemont,
qui abritent aujourd'hui plusieurs commerces.

niveaux de la société. Il serait cependant exagéré de soutenir que le conditionnement ou le contexte religieux empêchait systématiquement l'éclosion des esprits : quoi qu'on en dise, on doit bien reconnaître que les artisans de la « révolution tranquille », qui s'amorcera quelques années plus tard, furent tous formés selon les critères de cette époque, et ils ont su préparer la société à prendre en mains un pouvoir plus démocratisé.

PRÉPARATIFS À LA FONDATION

Nous voilà donc en 1952, 7 ans après la fin de la guerre, 25 ans après la dernière fondation eudiste, à Québec. La population de Rosemont a grandi avec les opérations accrues des usines Angus. L'archevêque de Montréal a entendu l'appel du curé de Saint-Eugène ; le provincial des Eudistes du Canada sait qu'il a déjà l'aval de son général à Paris : il faut maintenant se concerter pour passer à l'action et décider d'un lieu, d'un budget, d'un architecte, d'un constructeur, bref, de tous les éléments nécessaires à l'édification physique du collège.

Le 2 août, le père Arthur Gauvin, provincial, accompagné de ses assistants, les pères Pierre Lechantoux et Robert Bernier, se rendent chez le curé Cornellier pour visiter ensemble le quartier qui délimite sa paroisse et celui qui s'étend tout autour, puis sur la plus importante artère qui traverse le secteur, le coin de terre qui pourrait accueillir le collège : boulevard Rosemont, entre la 13e et la 15e Avenue. C'est un champ qui s'ouvre sur le nord. En face, de l'autre côté de la rue, la petite église de la paroisse irlandaise, St. Brendan's, toute humble et discrète sous sa robe de lierre vert

L'église irlandaise St. Brendan, en face du collège.

tendre. L'espace est suffisant, des agrandissements seraient possibles, les voisins assez éloignés pour ne pas gêner les activités des élèves. Le père Gauvin, enchanté de ce qu'il découvre, de ce qu'il entend et des rêves qu'il entrevoit, écrira au père général Lebesconte : « *Site magnifique. Nous serons entourés d'une agglomération de 15 000 familles canadiennes-françaises. Il n'y a pas d'institution classique à proximité. Nous arrivons dans un milieu très sympathique. avec en plus l'appui moral de l'évêque. Il est évident que nous ne serons jamais placés dans des conditions plus favorables...* »

Le père Arthur Gauvin

Pourtant, la lumière ne s'est pas faite subitement dans son esprit. Quelque temps plus tard, le père Gauvin avouera : « *J'ai été bien hésitant... Mes assistants beaucoup moins (...) Nous ne pouvions pas laisser passer une si belle occasion de nous établir solidement à Montréal...* »

Une autre interrogation pouvait aussi poindre dans l'esprit du père provincial : le Collège des Eudistes allait-il faire double emploi avec le Collège Saint-Ignace, qui appartenait aux Jésuites, et qui se trouvait à quelques rues de l'emplacement prévu ? De plus, fallait-il croire les rumeurs voulant que les Jésuites prennent ombrage du projet des Eudistes ? Il serait bien dommage qu'une concurrence se fasse entre les deux institutions et qu'elle crée la dissension entre les deux congrégations ?

En fait, on n'a qu'à regarder de près la mission des deux collèges pour se rendre compte que le débat ne pouvait pas vraiment exister. Le Collège Saint-Ignace n'existait que pour offrir un cheminement scolaire privé et particulier aux jeunes garçons qui voulaient se faire jésuites ; à telle enseigne qu'il n'offrait même pas les deux années de philosophie normalement liées aux six années d'études appelées alors « les humanités ». Leur cours se terminait tout naturellement avec la rhétorique, vu que les aspirants jésuites ne devaient faire leurs études philosophiques qu'après leur entrée en communauté.

Ce qu'offraient les Eudistes était bien différent : un collège ouvert à tous, pouvant conduire aux études universitaires et aux diverses professions qui pouvaient faire des leaders des jeunes canadiens-français, y compris la préparation au sacerdoce, évidemment, mais pas exclusivement. Donc, le nouveau collège s'adressait à un public plus large, ouvert à toute la population de Rosemont. C'est ainsi que le voyait Mgr Léger lui-même, à qui le père Gauvin avait confié ses inquiétudes. « *Cette institution (le Collège Saint-Ignace) a été fondée pour le recrutement des vocations sacerdotales et les fondateurs ont tenu à en faire une école apostolique,* dit l'évêque. *Votre externat sera ouvert à tous les enfants du quartier. D'ailleurs, tous les collèges de Montréal refusent des élèves depuis le premier août, et lorsque votre maison sera organisée, elle aura une population scolaire assez nombreuse pour que nous comprenions alors que nos décisions d'aujourd'hui étaient conformes à la prudence.* »

C'est là un thème qui reviendra souvent dans l'histoire du collège : audace et prudence qui se côtoient, pour conserver sa sérénité et sa confiance en l'avenir.

On s'entend donc sur une offre pour l'achat du terrain choisi : 140 000 $. Le courtier en immeuble la transmet aux propriétaires,

Le terrain avant la construction.

la famille Nesbitt, qui l'acceptent. Tout devait se faire rapidement, mais des difficultés apparaissent soudain. La Ville de Montréal avait prévu utiliser ce grand terrain pour éventuellement y construire un réservoir municipal. Le maire est alors Camillien Houde, un coloré personnage qui a marqué son époque de bien des façons. D'abord, il a été, un certain temps et simultanément, maire et député au parlement provincial; ensuite, il fut emprisonné durant la guerre à cause de son objection publique à la conscription militaire décrétée par le premier ministre canadien Mackenzie King. C'est avec lui que les autorités eudistes devaient négocier la permission de construire leur collège sur le terrain désiré par la Ville.

Le père Gauvin entama de longues tractations qui n'aboutirent, finalement, qu'à la fin de l'année 1952. Elles se terminaient avec l'appui sans équivoque de l'administration municipale au projet du collège. Ce problème réglé, on pouvait penser à la construction.

Mais ce n'était là qu'une petite partie du problème global: la question du financement était cruciale. Selon Edgar Courchesne, l'architecte qui avait travaillé à la construction du Collège Saint-Louis, en 1946, à Edmunston, il fallait prévoir entre 800 000 et un million de dollars pour ériger le Collège de Rosemont. Or, les Eudistes étaient plus endettés que riches: leurs dernières fondations avaient épuisé toutes leurs réserves. Mgr Léger disait ne pas pouvoir supporter financièrement le projet que, pourtant, il voyait comme une nécessité. Il écrivait au père Lebesconte: « *Vos pères sauront gagner la confiance des curés de ce quartier, lesquels seront très heureux de vous aider, même financièrement, afin de doter leur ville de Rosemont d'une belle institution...* » Ce qui voulait dire que les Eudistes ne pouvaient compter sur rien d'autre que de bienveillantes paroles d'encouragement de la part de l'archevêché.

De son côté, le gouvernement provincial ne prévoyait qu'un octroi annuel de 15 000 $ par année. Et on sait qu'à l'époque, sous le régime de Maurice Duplessis, un octroi gouvernemental était tout ce qu'il y avait de plus discrétionnaire : les subventions dépendaient souvent du bon plaisir du « Prince », ce qui signifie qu'on n'en était jamais certain. Où donc trouver les millions de dollars nécessaires à la construction et, ensuite, à l'entretien d'une telle bâtisse ? Et puis comment faire face aux dépenses d'enseignement, de fournitures, de supports de toutes sortes ? Les parents des élèves de Rosemont pourraient-ils, seuls, faire face aux coûts immenses qu'entraînait l'éducation de leurs enfants ?

On sait que le « cours classique », parcours obligatoire et unique pour l'entrée à l'université et pour l'exercice des professions libérales traditionnelles, ne se donnait à l'époque que dans des collèges privés : l'enseignement public, lui, ne préparait qu'au « cours commercial » ou au « cours scientifique ». Il ne serait pas faux de prétendre que seuls les parents riches, ou avec quelques moyens financiers, pouvaient offrir à leurs enfants l'éducation en institution privée ; l'ensemble de la population de Rosemont n'appartenait pas vraiment à cette catégorie de gens. De condition modeste, ils voulaient quand même offrir à leurs enfants ce dont ils n'avaient pu profiter dans leur jeunesse. Pour répondre au besoin de la population, et pour préserver le désir des Eudistes de susciter des vocations sacerdotales dans le milieu, les frais de scolarité devaient nécessairement rester le plus bas possible. Donc, ils ne pouvaient, à eux seuls, couvrir toutes les dépenses du collège.

À l'été 1952, alors qu'on négocie l'achat du terrain, le père Gauvin exprime ses inquiétudes à son supérieur général, à Paris. Mais le Conseil général ne paraît pas, lui, s'inquiéter outre mesure du problème financier. Il met alors son espoir dans une solution qui est proposée à l'évêque de Montréal : une collecte, devant durer 20 ans, dans tout le quartier Rosemont, pour financer un éventuel collège ! Mgr Léger hésite : peut-il vraiment créer un précédent que d'autres pourront à leur tour demander pour divers projets dans son diocèse ? Peut-il demander à tous les catholiques de Rosemont de voir à l'éducation des enfants qui veulent poursuivre des études qui les conduiraient à l'université ? Il se trouve dans un véritable dilemme : de tout cœur, il désire ce collège, mais il ne trouve nulle part les moyens de l'aider financièrement. Il se rend alors compte que son rêve ne pourra jamais voir le jour s'il n'accepte, ou n'invente, une formule inédite de subvention à l'institution.

Il dira finalement oui à la suggestion des Eudistes : permission d'aller chercher 500 000 $ par une souscription annuelle dans onze paroisses environnantes. La contribution moyenne serait alors de 25 $ par famille. Et elle pourrait, selon les calculs et les analyses, servir à remettre la dette de la construction aux prêteurs. Ce qui n'est cependant pas encore suffisant pour assurer la survie du collège.

Le père Gauvin est convaincu que le gouvernement de M. Duplessis peut et doit faire davantage. Il s'engage donc avec opiniâtreté dans une démarche (qu'aujourd'hui on appellerait lobbying) où il présentera à Québec ses meilleurs arguments et ses plus influents défenseurs. Le déroulement des interventions mérite d'être relaté parce qu'il illustre très bien le contexte sociopolitique de cette époque qui, bien que souvent dénoncé, n'est pas pour autant disparu de nos mœurs. Le récit qui suit est directement inspiré par celui qu'en a fait le père André Samson, en s'alimentant aux sources originales.

On l'a dit : les octrois gouvernementaux dépendent entièrement d'une seule personne, en l'occurrence le premier ministre du Québec, le très honorable Maurice Le Noblet Duplessis. Le père Gauvin, devant le manque évident de fonds nécessaires, se résout à lui écrire une longue lettre où il utilise les arguments qu'il juge les plus irréfutables et le ton le plus audacieux, celui de l'humour ! En fait, c'est un des proches du premier ministre, l'honorable Antoine Rivard, qui a suggéré d'utiliser ce style, vu qu'il connaît bien son chef et que le projet du collège lui tient à cœur.

Messieurs Camillien Houde et Maurice Duplessis
à Montréal-Est, le 26 avril 1952.

Le père Gauvin écrit donc: «*D'autres institutions du même genre ont obtenu des octrois très substantiels; par exemple le Collège d'Amos, presque un million, celui de Gaspé, un demi-million, et celui de Saint-Georges, environ autant; et ces institutions comptent entre 120 et 225 élèves, alors que nous en aurons 600 à Rosemont. (…) Enfin, ne sommes-nous pas dans la saison où les curés exigent la dîme de leurs paroissiens? Vos édifices du Parlement se trouvent sur le territoire de notre paroisse du Saint-Cœur-de-Marie. Ne serait-il pas équitable que le gouvernement lui aussi paie sa dîme de temps en temps?*» La lettre demeure sans réponse: la familiarité aurait-elle déplu au premier ministre?

Un mois plus tard, nouvelle lettre du provincial des Eudistes. Cette fois, il fait référence à l'œuvre même de sa communauté dans le développement du Canada. Il écrit: «*Me permettrez-vous de vous rappeler que les Eudistes s'occupent de l'éducation française dans le pays depuis 50 ans (1890) sans avoir*

36

jamais obtenu aucun octroi ou dons spéciaux du gouvernement ? Plusieurs personnages haut placés en ont souvent fait la remarque. »

Encore le silence. Deux semaines plus tard, le père Gauvin décide de se présenter en personne devant le premier ministre, qui refusera de le recevoir : le provincial devra se contenter de rencontrer les ministres Onésime Gagnon et Omer Côté, tous deux par ailleurs fort respectables, mais manifestement sans influence sur les humeurs et sur les décisions de M. Duplessis.

Il faut donc utiliser les gros canons : le père Gauvin demande à Mgr Léger, depuis peu cardinal, d'utiliser tout son prestige pour enfin avoir l'oreille et toucher le cœur du premier ministre omnipotent. La réponse de l'archevêque paraîtra froide et distante : « *Si vous continuez à exercer des pressions auprès des membres du Cabinet, je crois que vous obtiendrez un jour ou l'autre l'octroi demandé.* » Mais le jour même, il écrit une autre lettre, celle-là au premier ministre, qui ne pourra rester sans effet. Elle constitue, par ailleurs, un témoignage émouvant envers la Congrégation des Eudistes.

« *Mon cher Premier Ministre, de ma chambre d'hôpital, je désire recommander à votre générosité la cause des Pères Eudistes qui sont en train d'ériger un magnifique collège à Montréal, dans le district de Rosemont.*

« *J'ai deux raisons pour vous recommander ces bons Pères. D'abord, ce sont d'excellents éducateurs qui ont déjà fait leurs preuves, surtout dans les Provinces maritimes et à Québec par les œuvres magnifiques qu'ils ont réussi à établir et à développer à coup de sacrifices et de dévouement. Si, en effet, l'Acadie jouit aujourd'hui de cet essor magnifique qu'on lui connaît, c'est en grande partie grâce à la formation solide qu'ont donnée ces Pères à la jeunesse selon ses méthodes héritées de leurs devanciers venus de France.*

« *La deuxième raison, c'est le besoin urgent dans lequel se trouve la communauté en conséquence de cette entreprise de Rosemont* *ajoutée à ses œuvres déjà existantes. Cette entreprise, en effet, au dire de l'architecte lui-même, monsieur Auguste Martineau, coûtera au minimum un million deux cent cinquante mille dollars (1 250 000 $). Or il est évident qu'une œuvre comme celle-là ne peut faire face toute seule à une dette aussi considérable.*

« Donc, de nouveau et de tout cœur, j'appuie la demande qu'ils vous ont adressée dans le but d'obtenir de votre gouvernement l'aide qui les aidera à financer cette œuvre d'éducation.

« Veuillez recevoir, mon cher Premier Ministre, mes meilleurs vœux et croire à mon sincère dévouement. »

Cette lettre était datée du 4 septembre 1953. Or, ce ne sera que le 15 mai 1954, donc huit mois après la demande, qu'un octroi de 250 000 $ sera finalement accordé au collège... C'était très tard, et beaucoup moins que le montant espéré, à cause des sommes accordées à d'autres collèges, comme l'avait écrit le père Gauvin. Les Pères avaient passé l'hiver dans l'angoisse, mais le montant reçu *« nous permettra de terminer l'édifice et de vivre pendant une année sans trop laisser de trace »*, écrivait le père Gauvin au premier ministre. Et au cardinal Léger, qui célébrait alors son jubilé de 25 ans de sacerdoce, il ajoutait ses remerciements aux félicitations d'usage : *« Je suis certain que sans elle (l'intervention du prélat), nous aurions dû attendre longtemps encore – et peut-être même toujours –, aux prises que nous étions dans un problème financier aigu. »* C'est dire comme on pardonnait tout à M. Duplessis, parce qu'on attendait tout de sa toute-puissante volonté.

Avant l'obtention de l'octroi, dans un geste de confiance absolue envers la Providence autant que par un coup d'audace remarquable, on s'était donc lancé dans l'aventure. En octobre, le conseil provincial décidait de retenir les services de M. Auguste Martineau, d'Ottawa, comme architecte. Le mois suivant, le père provincial écrivait à Rome pour demander la permission d'emprunter un million de dollars.

On imagine l'obligation de remboursement des intérêts: 50 000 $ par année! L'octroi gouvernemental de 15 000 $ réduirait à 35 000 $ le montant à trouver. Si l'on calcule que 500 élèves pourraient payer chacun 150 $ par année comme frais de scolarité, on peut espérer atteindre ce montant initial. Mais encore faut-il payer le personnel, chauffer et éclairer les lieux, meubler les classes, organiser des loisirs, faire face à bien d'autres dépenses de fonctionnement prévues et imprévues. On se dit: « La Providence devra nous fournir 30 000 $ par année… » Pourtant, malgré tout, on s'inquiète de moins en moins… Le père Gauvin écrira plus tard: « *Un courtier m'a assuré qu'il pourrait nous financer jusqu'à un million en ne donnant pas d'autres garanties que le collège à construire…* »

Alors, le 17 décembre, *Montréal-Matin* annonce en grandes manchettes la nouvelle au public de toute la ville: « Un externat classique verra bientôt le jour à Rosemont. » Le Collège des Eudistes est fondé. Il existera par la volonté, mais surtout par l'audace presque excessive de ses fondateurs.

Le Journal de Rosemont *du 18 décembre 1952.*

DES MURS ET DES HOMMES

Il faut un Eudiste comme surveillant des travaux : le provincial choisit le père Maurice Lamontagne ; le père Moïse Arsenault, de la « Corporation du Collège des Eudistes de Rosemont », l'accompagnera. Mais surtout, il faut trouver un entrepreneur général qui mériterait toute la confiance des Eudistes, qui sentent sur leurs épaules une très lourde responsabilité. On s'entend sur la Compagnie D'Amours et Frères, limitée, et on prépare un budget. Coût total prévu : 923 000 $. C'est bien près du million !

En fait, les calculs furent extrêmement précis et la surveillance des travaux infiniment minutieuse, puisque le 30 juin 1954, à la fin des travaux, un rapport financier faisait état d'une dépense totale de 997 659,50 $. Sur un tel montant, surtout à cette époque, il faut bien admettre que la différence est minime entre les prévisions et le coût final.

Les travaux devaient débuter au tout début du printemps. Mais on n'avait pas prévu certaines difficultés concernant le terrain. D'abord, il était homologué par la Ville de Montréal qui avait prévu en faire un immense aqueduc. Pour faire lever l'homologation, il fallait convaincre les autorités de la Ville et faire bouger les fonctionnaires. Ce qui prend toujours un certain temps ! Puis, on avait peut-être oublié que la 14ᵉ Avenue, qui n'était pas encore complétée mais qui devait atteindre un jour la rue Beaubien, se verrait tout simplement bloquée : la fermeture de l'avenue exigeait de nouvelles formalités. Même si l'administration municipale se montrait coopérante et favorable au projet, on ajoutait sans cesse des jours aux délais. Ce n'est donc qu'au milieu de juin que les journaux de Montréal publieront des photographies de la première pelletée de terre du collège, avec représentants de l'Église et de l'État, dans la plus pure tradition de lancement de toutes les grandes entreprises de l'époque au Québec.

Juin 1953 : première pelletée de terre.

Tout de suite, on passe à l'excavation, puis au coulage du béton pour les fondations. Au départ, tout va bon train. Mais dès qu'on voulut passer à la charpente, les problèmes apparurent : d'abord le manque d'acier, puis divers ennuis imprévus ralentirent considérablement les travaux et obligèrent le père Gauvin et le père Lamontagne à constamment faire pression autant sur les constructeurs que sur leurs fournisseurs. Les travaux prirent finalement un rythme de croisière plus lent mais au moins assez régulier.

Il est bien évident qu'on ne pouvait espérer entrer dans le nouvel édifice à l'automne. D'autre part, les Pères ne voulaient pas perdre une année entière avant de commencer l'enseignement. Il fallait donc trouver des locaux aptes à servir de salles de classe pour une cinquantaine d'élèves qui entreraient en première année du cours classique, les Éléments latins, et pour un autre groupe dans une autre classe, le pré-classique, qui préparait aux études traditionnelles s'étendant normalement sur huit ans.

C'était donc la responsabilité du nouveau supérieur, le père Maurice Boivin, de faire en sorte que le collège ouvre ses portes aux enfants du quartier dès septembre 1953. Le père Boivin est très jeune : 36 ans, prêtre depuis seulement 11 ans. Il a d'abord été maître de salle, puis directeur des élèves, au Collège Sainte-Anne, de Church Point, en Nouvelle-Écosse ; de là, il se rendit aux Îles-de-la-Madeleine, où il dirigea l'Académie Saint-Pierre, de Lavernière, et, en 1950, il était nommé préfet de discipline à l'Externat Saint-Jean-Eudes, à Québec. Il possède donc, malgré son jeune âge, une bonne expérience « de terrain » avec les élèves.

Il lui faut par-dessus tout un directeur des études de qualité : le père Raoul Martin sera celui-là. Il était préfet des études et premier assistant au Collège Saint-Louis, à Edmunston. On l'a plus tard considéré comme la cheville ouvrière de cette nouvelle œuvre des Eudistes, dont il devint d'ailleurs le supérieur quelques années plus tard. De plus, le journal quotidien qu'il s'imposa d'écrire pour relater les premières années du collège nous est aujourd'hui bien utile pour reconstruire les événements tels qu'ils se sont déroulés dans leur contexte humain. Un autre confrère, le père Georges Gascon, s'associa à eux comme professeur et demeura le collaborateur fidèle et discret des premiers jours.

Le trio devait se partager l'enseignement de la première année : le père Gascon prend la responsabilité du pré-classique ; le père Martin, celle des Éléments latins. Un laïc, M. Jean-Paul Lafond, enseigne les mathématiques dans les deux classes. (Ce qui illustre, dès le départ, la volonté des Eudistes d'associer des collaborateurs laïcs à leur œuvre d'éducation traditionnelle.) Le supérieur, le père Boivin, qui en a pourtant bien assez de s'occuper de tous les problèmes entourant la construction, initie cet ensemble d'élèves, vivant en milieu très francophone, aux rudiments de l'anglais.

Une des responsabilités du supérieur était donc de trouver un endroit, près du collège en construction, capable d'héberger une cinquantaine de jeunes adolescents, le temps d'une année scolaire. Et aussi une maison pour lui-même et ses deux confrères, qui devaient loger pas trop loin des nouveaux élèves, en attendant l'ouverture officielle de l'édifice qui s'érigeait lentement.

Mme Mary Nesbitt, ancienne propriétaire du terrain, possédait une maison juste derrière le terrain du collège qu'elle venait de vendre aux sœurs de Sainte-Anne. Les trois religieux pourraient y habiter au cours de cette année, mais pas avant le mois d'octobre, ce qui compliquait évidemment leurs opérations de déménagement et de transport. Ils durent alors demander l'hospitalité aux religieuses du Bon-Pasteur, rue Sherbrooke, près de la rue Saint-Laurent. À une bonne distance, donc, de leur lieu de travail.

La maison Nesbitt

Pour les élèves, la Commission des écoles catholiques de Montréal offrait deux locaux à son école Louis-Hébert, à l'angle de la 6ᵉ Avenue et de la rue Beaubien, dans la paroisse Saint-Eugène. Puis, changement au programme : on annonce aux Pères, le 2 septembre, soit une semaine avant la rentrée, que toutes les classes étaient remplies et qu'il n'y avait plus de place, à Louis-Hébert pour les élèves des Eudistes. Les Pères sont découragés ; ils se voient alors offrir le même espace à l'école Ludger-Duvernay, rue Laurier, plus près du collège en construction, dans la paroisse Sainte-Philomène. De plus, le principal, M. Veilleux, est d'une amabilité telle que chacun se réjouit du changement de lieu. Et voilà que le curé de Sainte-Philomène, l'abbé Siméon Girard, apprend que les classes doivent s'ouvrir dans six jours et que les trois Pères n'ont encore trouvé aucun espace pour se loger à proximité. Avec beaucoup de générosité, il installe ses nouveaux paroissiens dans trois chambres confortables de son presbytère.

Cette hospitalité ne devait durer que quelques semaines, même si une mauvaise communication faillit la faire durer quelques mois. En effet, en apprenant que le collège ouvrait ses premières classes à l'école Ludger-Duvernay plutôt qu'à Louis-Hébert, les sœurs de Sainte-Anne en ont conclu que les Pères n'avaient plus besoin de la maison Nesbitt, qui leur avait été réservée pour octobre. Un autre locataire s'était pointé et allait signer son bail quand les Pères apprirent qu'ils allaient perdre la maison convoitée! À la dernière minute, ils purent refaire les liens avec la supérieure des sœurs de Sainte-Anne et récupérer les locaux qu'ils avaient crus les leurs, le 12 novembre précédent. La demeure, portant assez péniblement ses 150 ans, n'avait rien d'un château, mais ses douze chambres la rendaient beaucoup plus confortable que les trois pièces du presbytère. Donc, nouveau déménagement.

Les événements qui suivirent prirent l'allure d'un récit incroyable! Un incident se produisit le premier soir de l'arrivée des Pères à la maison. Voulant bien réchauffer ses murs refroidis par la température et l'humidité d'un automne pluvieux, les nouveaux locataires décidèrent de faire un bon feu dans la cheminée avant d'aller dormir… Malheur! Le feu sort de sa niche pour se mettre à brûler le plancher de bois! On voudrait bien appeler les pompiers, mais la maison n'a pas encore de téléphone. Il faut donc prendre l'automobile pour aller les réveiller à la caserne et les amener sur les lieux de l'incendie! Heureusement, ils arrivèrent assez tôt pour éteindre le feu qui n'avait pas eu le temps de s'attaquer au reste de la maison.

Peu habitués, comme on s'en doute, aux responsabilités d'entretien d'une maison, ils décidèrent d'y faire venir deux Oblates missionnaires de l'Immaculée qui devaient s'occuper de la cuisine et du ménage. Elles arrivèrent à la maison Nesbitt à l'automne 1953 et s'efforcèrent de se rendre utiles du mieux qu'elles le pouvaient. Malheureusement, les religieuses françaises, récemment débarquées à Montréal, ne purent s'adapter à leur tâche en sol canadien et repartirent pour leur pays. Les Pères durent faire appel à du personnel laïc pendant l'été pour finalement redemander, encore une fois, l'aide du cardinal Léger. Celui-ci avait entendu parler d'une communauté de Normandie qui accepterait de venir s'implanter au Canada. La communauté décida donc de laisser partir trois religieuses pour venir en aide aux Eudistes. Mais l'une d'entre elles fut tellement malade durant la traversée que, débarquée à Québec, elle ne fut jamais capable de se rendre à Montréal. Et ses deux compagnes, malades à leur tour, durent repartir pour la France à l'automne suivant. Les Pères prirent conscience qu'il ne leur serait pas facile de se trouver des collaboratrices dans l'œuvre d'éducation qu'ils entreprenaient à Montréal.

LES PREMIERS ÉLÈVES

Le 9 septembre 1953, le Collège des Eudistes peut, malgré ces ennuis de parcours, ouvrir ses classes, dans les murs de l'école Ludger-Duvernay, à ses premiers élèves : ils sont tous enfants du quartier, décidés à se lancer dans l'aventure des grandes études classiques.

La classe des Éléments latins compte 32 jeunes garçons ; celle du pré-classique, 18. Chaque semaine, ils auront 22 périodes de 50 minutes d'enseignement, plus le temps de l'étude faite au collège. Ce qui signifie que la vie au collège s'étend de huit heures du matin jusqu'à six heures du soir, sous la conduite de leurs trois professeurs. Pour cela, les parents de Rosemont doivent ajuster leurs horaires quotidiens. « *Notre premier groupe d'élèves est intéressant*, écrira le père Boivin à son provincial, le père Gauvin. *Ils sont pleins de vie et sportifs. En classe, ils sont bavards et ne tiennent pas en place. Cependant, ils ont bon cœur et ne gardent pas rancune.* » Les bons Pères devaient donc prendre les moyens, à l'occasion, pour imposer une certaine discipline favorable aux études! Mais leurs exigences étaient surtout d'ordre pédagogique : il fallait apprendre et se former, reprendre et répéter, lire, écrire et étudier, chaque jour, sans relâche. Dès ses premiers jours, le Collège des Eudistes posait ses standards à un niveau très élevé. Et il ne les a jamais baissés.

L'école Duvernay : rentrée scolaire 1953.

Les travaux sont parfois ralentis, les retards sont souvent lourds à porter, les solutions aux problèmes finissent toujours par se trouver dans les têtes des fondateurs. Il faut dire que la construction en hiver, au Québec, n'est jamais facile pour personne. Les ouvriers se réjouirent donc de voir, le 15 mars, le toit recouvrir l'édifice. Ce qui laisse espérer la fin des travaux au courant de l'été. Trois semaines plus tard, la façade attire l'attention des gens du quartier comme celle de l'hebdomadaire local, *Le Journal de Rosemont,* tout heureux de titrer, le 8 avril : « *La maison de l'avenir dans le domaine de l'éducation.* » Et il poursuivait dans ses colonnes : « *Le collège se présente sous la forme d'un élégant édifice aux lignes originales. (…) Le bon goût d'un architecte compétent a créé, comme le désiraient les Pères, un style qui pouvait convenir au genre d'une institution classique, et qui soit en même temps très moderne. (…) Les lignes sont simples, épurées ; rien n'est inutile et tout a été choisi pour conférer à l'ensemble une apparence dont le coup d'œil est des plus agréables.* »

La construction du collège

Il est évident que le nouveau collège ajoute à la qualité environnementale du secteur de ville et valorise tout le quartier Rosemont. Au lieu d'un champ aux allures de campagne abandonnée, on voit apparaître une maison du savoir. Les enfants qui veulent étudier, les parents qui désirent offrir à leurs petits ce qu'ils n'ont pu eux-mêmes recevoir, tous se mettent, ensemble, à bâtir des rêves. Des familles voudront déménager pour se loger près du collège ; des commerces devront s'ajouter, les services se multiplier ; la vie deviendra plus fébrile, plus enjouée, etc. Bref, Rosemont se voit grandir à mesure que s'élève l'édifice. Et les élèves des deux premières années qui reçoivent leurs cours dans les locaux de l'école Ludger-Duvernay deviennent les symboles d'une nouvelle percée intellectuelle dans un milieu qui ne demande qu'à s'épanouir. Le Collège des Eudistes lui offrait ce qui lui manquait à ce moment-là de son évolution : un lieu de référence pour des gens qui veulent prendre charge de leur vie.

Juillet 1954 : les Pères quittent enfin la maison Nesbitt qui leur avait valu bien des malheurs (dont ils n'osaient se plaindre). Adieu les rats dans les murs, la fournaise à bout de souffle, le personnel malade et tout le reste : on s'installe dans les murs neufs de la grande maison ! Pour les repas, le curé de Sainte-Philomène est encore prêt à accueillir ses nouveaux paroissiens trois fois par jour. Voulant rendre la pareille à la Commission scolaire qui avait hébergé les premiers élèves l'année précédente, tout en touchant une somme d'argent appréciable, le Collège lui loue pour 30 000 $ une douzaine de classes qu'il ne saurait encore occuper avec son petit nombre d'élèves. Ainsi, 360 jeunes de la Commission scolaire poursuivront temporairement leurs études dans les locaux de la nouvelle institution privée.

Les examens d'admission, tenus au mois d'avril précédent, ont ouvert la porte à 91 nouveaux arrivants. Ils sont choisis avec beaucoup d'attention : on s'assure qu'ils seront capables de poursuivre des études exigeantes et de respecter une certaine discipline. En tout, le collège comptera 165 élèves répartis en une classe de pré-classique, trois d'Éléments latins et une de Syntaxe.

Pour s'occuper de tout ce petit monde, il faut ajouter de nouveaux membres au corps professoral. Aux pères Boivin, Martin et Gascon, on associe les pères Tardif, Cormier, Blagdon et Lévesque ; également, Gilles Lamontagne, un diacre du diocèse. Tout est en place. Et on se prépare pour le 9 octobre 1954, jour de grande fête, alors que se tiendra la bénédiction officielle du nouveau collège.

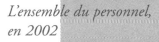
L'ensemble du personnel, en 1954

L'ensemble du personnel, en 2002

Le cardinal Léger se place à la tête d'un ensemble impressionnant de notables locaux et d'une foule admirative : lui qui avait deviné le développement de Rosemont, qui avait profondément désiré l'institution, qui en avait choisi ses maîtres, qui s'était chargé de « quêter » auprès du premier ministre une aide pourtant nécessaire ; lui qui était si fier de voir s'étendre, à Montréal, un réseau de maisons d'enseignement capables de transmettre la pensée traditionnelle de l'Église, à laquelle il se montrait totalement attaché…

Les Pères eudistes sont reconnaissants envers leur évêque, mais pas seulement envers lui. Ils écrivent, dans le programme de la journée, la liste des bienfaiteurs qu'ils veulent remercier. Cela vaut la peine d'en reproduire les noms, pour bien identifier tous ceux qui, d'une façon ou d'une autre, à quelque niveau que ce soit, se sont chargés d'une part de responsabilité dans l'édification du rêve maintenant devenu réalité. On a l'impression de lire, en hommage à tous ces gens : « *Sans vous, nous n'aurions pas vu ce jour…* »

La bénédiction du collège par le cardinal Paul-Émile Léger,
le 9 octobre 1954 : « [...] On formera ici non seulement
des intelligences, mais des cœurs. »

Sous le titre « **Nos bienfaiteurs** », on peut lire :

Son Éminence le cardinal Paul-Émile Léger, archevêque de Montréal
L'honorable Maurice Duplessis et son gouvernement
Son Honneur le Maire Camillien Houde et ses conseillers
M. le curé S. Girard et le vicaire de Sainte-Philomène

M. le curé J. G. Cornellier et le personnel de Saint-Eugène

MM. les curés et vicaires des paroisses de Rosemont

Rév. Père J. McManus, curé de St. Brendan

Monsieur le député fédéral Jean-Paul Deschâtelets

La Commission des écoles catholiques de Montréal

Monsieur Léopold Veilleux, principal de l'école Ludger-Duvernay

Les Sœurs du Bon-Pasteur

Monsieur Lucien Hétu

Monsieur J. McCauley

Bien d'autres noms auraient pu s'ajouter. Ceux de gens peut-être plus effacés ou moins connus, souvent pour respecter leur volonté de discrétion. Comme les autorités de la Congrégation, en France ; comme les Eudistes des générations antérieures ; comme la population catholique de Rosemont, qui appuyait de ses deniers une maison d'éducation répondant à ses désirs ; comme les premiers élèves qui devenaient les pionniers, chez eux, d'un grand projet d'avenir ; comme les parents de ces élèves, parfois peu fortunés, mais tous déterminés à offrir le meilleur à leurs enfants, au prix de sacrifices et d'efforts multiples.

Dans son discours, le Cardinal rendit un hommage résolument émouvant aux fondateurs : « *Les Pères Eudistes ont gardé, sauvé, ressuscité l'Acadie. Il fait bon de les voir arriver chez nous, au deuxième centenaire du Grand dérangement. Fondés au XVIIᵉ siècle, ils ont gardé les traditions de ce zèle de grandeur qui a créé nos classiques…* » Et il ajoute ces mots qui demeureront gravés dans la mémoire de tous les futurs directeurs, professeurs et animateurs du collège : « *On formera ici non seulement des intelligences, mais des cœurs* ».

Voilà : le Collège des Eudistes de Rosemont a vraiment pris son envol. Dès le 18 novembre 1954, les autorités convoquent une première réunion de parents. C'est le début d'une collaboration qui se poursuivra sans faille tout le long de l'histoire du

Collège : sans elle, on n'aurait pu imaginer l'évolution et le succès que l'institution a connus ; et les élèves n'auraient pas pu profiter, tout au long des années, d'une connivence aussi bénéfique
entre les divers éléments responsables de leur éducation.

LE DÉFI : D'ABORD, SURVIVRE

À peine trois ans après ces moments de gloire, on commence
à s'inquiéter : les autorités du collège se demandent si elles pourront, seules, sans aide extérieure, répondre aux exigences que
pose l'éducation de qualité supérieure offerte au plus grand
nombre d'enfants possible. Les sommes réclamées pour les
cours, même pour l'époque, sont minimes : 15 $ par mois !
Chaque année, on se demande comment payer la dette, l'entretien, le personnel, les équipements, bref, tout ce qui devient un
quotidien de plus en plus lourd à porter. Faut-il augmenter les
frais de scolarité ? Solliciter la population ? Faire encore appel au
gouvernement de Québec ?

Voici un problème en apparence banal et pourtant gênant
qui demandait des solutions originales : pour ouvrir les classes, le
directeur avait trouvé des pupitres usagés, lesquels pouvaient
répondre au besoin pendant un certain temps, mais qu'on a dû
très vite remplacer. Avec quel argent ? Une idée : les élèves se lan-
cent, avec leurs parents et leurs professeurs, dans l'organisation
d'une gigantesque partie de cartes, réunissant 800 personnes au
collège, le 17 février 1955. Première pierre d'un édifice qui ne
cessera de s'agrandir, en parallèle avec l'évolution du collège : la
collaboration de tous les membres de la famille professeurs-
élèves-parents. Une collaboration qui n'a jamais fait défaut et
qui n'a fait que croître avec les années.

La direction du collège entretient également une autre soli-
darité : celle qui l'unit à sa congrégation et à l'ensemble de l'Église
depuis ses origines. C'est pourquoi elle demeure soucieuse de sus-

citer, dans le plus grand respect possible des élèves, l'éclosion de vocations sacerdotales. Et le rêve se réalisera : petit à petit, on verra de grands finissants prendre le chemin du sacerdoce régulier ou séculier, faisant le lien entre la première vocation eudiste et leur engagement à Montréal, au milieu du XXe siècle.

Le personnel eudiste évolue également. Deux frères coadjuteurs s'ajoutent à l'équipe ; nouvel économe, nouveau directeur spirituel des élèves. Conséquemment, les dépenses augmentent : il faut de nouveaux professeurs. Mais où trouver des maîtres qui vont travailler bénévolement, ou presque, à l'éducation des enfants ? Les engagements des Eudistes au Venezuela, à Buffalo et ailleurs, dans leurs diverses maisons, ne leur permettent pas d'emmener au Collège de Rosemont tous les membres qu'il réclame. Il faut donc embaucher, en 1957, un professeur laïc et deux prêtres séculiers. Il convient, évidemment, de leur offrir un salaire plus élevé que celui des Eudistes, qui n'en ont aucun ! À cette époque, le collège, qui n'a que quatre ans, compte déjà 275 élèves. Mais il héberge, en même temps, 475 écoliers de la Commission des écoles catholiques de Montréal. Ce qui veut dire 750 élèves sous la responsabilité d'un très petit nombre d'Eudistes !

Chaque année, des classes s'ajoutent au programme du cours classique. En 1957, les élèves du classique, des Éléments latins aux Belles-Lettres, occupent 9 classes de l'édifice et ceux du secondaire public, 12. Les dépenses augmentent encore. Les revenus aussi, faut-il dire ; mais pas au même rythme. Le déficit grandit.

D'abord, il y a la dette originale de construction : elle atteint presque le million de dollars. Et il y a les opérations de plus en plus coûteuses. Le collège n'a reçu que 370 000 $ d'octroi gouvernemental ; beaucoup moins que ce qu'il en espérait. À la fin de l'année 1958, le supérieur, le père Boivin, cherche une solution à l'extérieur des cadres traditionnels : il propose alors un projet de collecte de fonds à la maison Wells, organisme spécialisé dans ce type de campagne. Il faut trouver 500 000 $… Mais Wells se reconnaît incapable de répondre aux attentes du collège.

Au printemps de 1959, les curés des paroisses environnantes décident de lancer une grande collecte dans toute la région que dessert le collège, avec des Eudistes dans leurs églises pour inciter les paroissiens à la générosité. Tous les gens concernés ont été rejoints, mais leurs moyens sont trop limités. La collecte ne rapportera que 25 000 $, 20 fois moins que le besoin réel du collège…

Il y a maintenant deux ans que le milieu est bien averti de la situation précaire du collège qu'il a voulu se donner. Le 20 juin 1957, *Le Progrès* de Rosemont avait déjà écrit : « *L'enseignement supérieur chez nous maintenant devenu un luxe.* » En 1959, on pouvait maintenant lire : « *Nous avons sous les yeux le bilan 1956-57 du collège classique des Eudistes de Rosemont. Il faut se demander comment ces bons pères ont pu réaliser le miracle de rejoindre les deux bouts avec des revenus aussi minimes et des dépenses aussi élevées.* »

Le Progrès de Rosemont
du 20 juin 1957

Le temps passe et rien ne semble pouvoir alléger le fardeau des pauvres Eudistes qui se sentent bien seuls dans leur mission au cœur de Rosemont, au service d'un quartier et, de plus en plus, d'enfants de tout Montréal. Le 2 mai 1959, on peut lire dans La Presse : « *Un collège fermera ses portes faute de fonds. - L'institution, qui ne reçoit aucune aide extérieure, si ce n'est un faible octroi provincial annuel, devra se résigner à n'avoir qu'une classe de méthode et qu'une classe de versification au lieu de deux dans chaque cas.* »

Dans notre riche métropole...

Un collège fermera des classes faute de fonds

par GASTON DUGAS

La situation financière du collège des Pères Eudistes, dans le quartier Rosemont, est si précaire que les autorités de l'institution ont pris la décision de fermer deux classes, à compter de septembre prochain.

La Presse *du 2 mai 1959*

Malgré cette obligation de limiter le nombre de ses classes et donc de ses élèves, en septembre 1959, le collège offre une première année de philosophie. Le personnel compte alors 15 prêtres et 10 professeurs laïcs. Le supérieur se résigne, au mois de septembre, à solliciter encore une fois l'aide des paroisses environnantes. Puis, en même temps, il décide d'élargir le cercle de supporteurs : il forme un comité où se rencontre, autour des autorités du collège, un certain nombre de représentants du monde des affaires. Début d'une collaboration nouvelle qui s'étendra, se renouvellera et s'incrustera le long des années dans la vie du collège.

Ensemble, ces gens de bonne volonté frappent de nouveau à la porte du gouvernement. Cette fois, ils s'adressent à un nouveau premier ministre : l'honorable Paul Sauvé, soucieux du développement des jeunes et préoccupé de l'évolution des Québécois, avait succédé à Maurice Duplessis à la tête de l'Union nationale et du gouvernement de Québec ; mais le nouveau premier ministre mourut trois mois plus tard. Antonio Barrette, réputé pour être à l'écoute du monde ouvrier, deviendra à son tour premier ministre, au printemps de l'année 1959. Il devrait normalement se sentir près d'un tel projet d'éducation dans un milieu comme celui de Rosemont. Mais le sort semble s'acharner sur les gouvernants de la province : lui aussi mourra subitement quelques mois plus tard... Un de ses ministres, Maurice Custeau, député de l'est de Montréal, eut pourtant le temps, avant la mort de son chef, de bien saisir le problème de Rosemont, de se laisser toucher par le sort des familles et de parrainer la cause des Eudistes auprès du gouvernement. Dans une lettre adressée au père Martin, supérieur du collège, le député écrivait avec fierté : *« Il me fait plaisir de vous informer officiellement que le Lieutenant-Gouverneur en Conseil, par son arrêté-en-conseil 1853 et sur la proposition de l'Honorable Premier Ministre (a décrété) : "Qu'une subvention spéciale de trois cent mille dollars soit accordée et payée au Collège des Eudistes de Montréal, en deux versements égaux et consécutifs de cent cinquante mille dollars chacun..." De plus, je vous inclus, mon cher supérieur, un chèque de mille dollars (1000 $) provenant de l'œuvre des Paniers de Noël du comté de Jeanne-Mance pour défrayer les coûts de vingt bourses d'études, tel que promis... »*

Le député Maurice Custeau et les pères, en décembre 1959.

Le 10 décembre suivant, Le Journal de Rosemont pouvait titrer avec éclat : *« Subvention spéciale – 300 000 $ pour notre collège »* ! De plus, le *Journal* soulignait que c'était son journaliste, Henri La France qui avait sensibilisé la population aux besoins du collège. La direction félicitait alors son journaliste, le député Custeau *« ainsi que tous les hommes d'affaires et le groupe de pasteurs qui se sont dévoués pour la réussite de cette noble cause »*. C'est dire l'engagement du quartier envers son collège, et la fierté qu'il ressentait dans sa défense.

Chacun se réjouit de la bonne nouvelle, avec un peu l'impression, cependant, d'avoir frôlé la catastrophe ; on demeure conscient que l'horizon n'est pas pour autant libéré de tous ses nuages noirs. Mais si on a réussi à échapper au pire cette fois-ci, peut-être que d'autres solutions pourront se faire jour avant la prochaine tempête...

Le Journal de Rosemont
du 10 décembre 1959

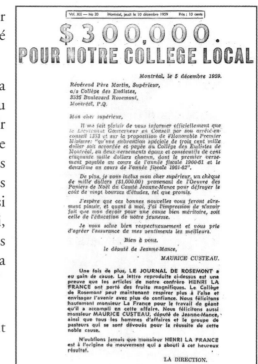

LA VIE AU COLLÈGE

Pendant ce temps, chez les élèves, la vie quotidienne se poursuit sans qu'il n'y paraisse trop. C'est une vie bien ordonnée, entourée d'une discipline serrée, toujours au service d'une qualité d'enseignement autant que de vie collective. Le père Boivin, supérieur depuis l'ouverture de l'institution de Rosemont, termine son mandat à la fin de l'année 1959 ; il est aussitôt remplacé par son bras droit, le père Raoul Martin, qui connaît très bien le collège, la direction, ses élèves, ses succès et ses problèmes. C'est lui qui, à l'automne

Le père Raoul Martin

1960, mettra sur pied le tout premier Comité des parents. Plus de 150 parents avaient alors répondu à l'invitation du supérieur. C'est à ce moment-là qu'ils ont commencé, dans une structure novatrice pour le temps, à jouer un rôle déterminant dans l'orientation et dans l'évolution de «leur» collège. Cette participation n'a jamais cessé et n'a jamais diminué. Elle s'avérera particulièrement utile, et même nécessaire, dans les graves décisions que devrait prendre le collège quelques années plus tard.

IV.—QUELQUES POINTS DU REGLEMENT

A. ETUDES

1) HEURES DE CLASSE:

Les cours se donnent tous les matins de 8 h. 30 à 11 h. 45;— les lundi, mardi, jeudi et vendredi après-midi de 1 h. 30 à 5 h. 45.

2) CONGES:

Les jours de congé ordinaires sont les mercredi et samedi après-midi.

3) ETUDES:

Les études au collège sont obligatoires pour tous. Les parents doivent veiller à ce que leur enfant étudie ses leçons à la maison.

B. DISCIPLINE

1) MESSE:

Les élèves auront une messe obligatoire tous les vendredis après-midi à 4 heures. Ils pourront se confesser et recevoir la sainte communion.

2) CONFESSION:

Les élèves doivent en principe se confesser tous les quinze jours; ils remettent un billet de confession une fois par mois. Les étudiants qui ont un confesseur étranger au collège doivent en aviser le Père Préfet et lui en apporter un témoignage par écrit.

3) COSTUME:

Tous les élèves doivent se procurer l'uniforme du collège. Il se compose d'un veston bleu (blazer), portant l'écusson du

Extrait du Prospectus du Collège des Eudistes

Quelques notes manuscrites, que le père Martin prit soin d'inscrire à son journal quotidien, nous transmettent une image assez précise de la vie du collège au début des années soixante.

Extraits des règlements :

Silence toujours de rigueur dans les toilettes.

Silence dans les couloirs, les escaliers et les classes, même les jours de congé.

Debout derrière la chaise pour la prière.

Quand un élève est interrogé, il se lève et se tient debout.

Quand un visiteur entre en classe, tous les élèves se lèvent en silence et attendent l'invitation de s'asseoir.

Congés les mercredis et samedis après-midi.

Permission de fumer : de versification à philosophie. En méthode, permission des parents.

Le collège désapprouve fortement les fréquentations suivies et hâtives ; elles ne peuvent être que nocives et nuire à la formation morale et intellectuelle des élèves, quand elles ne vont pas jusqu'à faire perdre des vocations sacerdotales.

Le collège ne permet pas les danses et les soirées organisées par un groupe de collégiens.

Messe : obligatoire le vendredi seulement.

Cas de renvoi :

1. une faute grave contre les bonnes mœurs ou la justice ;
2. la possession, l'usage ou le prêt de mauvais livres, revues ou journaux ;
3. manque de franchise (copiage) ;
4. insubordination habituelle ou paresse incorrigible.

On se rend compte de l'importance que le collège accordait à la discipline. Ou peut-être faudrait-il utiliser un autre mot, moins fréquent alors, mais aujourd'hui plus courant : à l'éducation globale. Une éducation qui touche l'ensemble des comportements des adolescents qui viennent au collège non seulement pour apprendre des choses mais aussi s'initier à la vie. La tenue vestimentaire est donc, dans cette optique, réglementée. Le père Martin avait prévu, dans le détail, le costume le plus classique et le plus pratique : blazer bleu marine, avec boutons d'écaille et écusson du collège sur la poche supérieure ; pantalons gris ; cravate rouge vin.

L'uniforme en 1960

Instaurare omnia in Christo
*Réunir l'univers entier sous un seul chef :
le Christ.*

En 1962, le Collège des Eudistes a déjà eu trois promotions de finissants. Il s'apprête à célébrer son 10ᵉ anniversaire. Quoi de mieux, pour signifier sa valeur et ajouter à son prestige, que de l'affilier à la Faculté des arts de l'Université de Montréal ? La demande est appuyée par le cardinal Paul-Émile Léger, qui écrit au père Martin : « *Les succès de vos finissants prouvent que le degré d'instruction qu'ils reçoivent est conforme aux normes établies par la Faculté des arts.* » Évidemment, la requête fut chaleureusement reçue et facilement acceptée.

C'est donc dans ce climat de compétence, de travail, de générosité et de sérénité que, du milieu des années 50 au milieu des années 60, le Collège des Eudistes offrit les études classiques aux enfants de Rosemont, sans imaginer qu'il faudrait bientôt se poser de nouvelles questions sur son avenir. C'est pourtant ce qui se produisit quand le gouvernement du Québec prit des virages nouveaux qui transformèrent, radicalement et pour les décennies à venir, l'ensemble des structures scolaires qui avaient animé les générations précédentes.

1962 : fin de la construction.

DEUXIÈME PARTIE

Du classique au secondaire

*T*ous les analystes, historiens, sociologues et observateurs du Québec aiment se référer à l'année 1960 comme moment déclencheur de la « révolution tranquille » et des bouleversements qu'elle a engendrés au cœur de la vie des Québécois et de la société québécoise. Évidemment, une référence liée à une date aussi précise risque fort d'être abusive pour expliquer un tel bouleversement social : en fait, on le relie exclusivement à un événement politique – la prise du pouvoir, en juin 1960, des libéraux de Jean Lesage, qui devint alors premier ministre de la province. Il est évident que le renversement de l'Union nationale, durant longtemps marquée au fer rouge de son fondateur Maurice Duplessis, a permis d'importants changements, attendus depuis longtemps par une partie des Québécois. Mais il ne faut pas oublier que seulement six ans plus tard, les Unionistes reprenaient le pouvoir : les symboles qu'ils représentaient avaient beau être décriés, ils demeuraient encore assez vivants auprès d'une population encore attachée à son passé au moment où elle tente de se préparer un nouvel avenir.

La fondation du Collège Jean-Eudes se situe donc à la veille d'un vaste bouillonnement qui s'amorçait et qui allait se poursuivre encore un bon moment en accentuant son rythme. Il est utile de se *rappeler le contexte et les enjeux que les autorités du collège, avec la direction des Pères eudistes, durent bientôt affronter. Pour comprendre la transformation d'une institution pourtant capable de répondre aux attentes d'un milieu, on doit revoir, à grands traits, quelques lignes marquantes d'une évolution aussi rapide que profonde, que les Québécois ont alors vécue d'une façon peut-être unique au monde.*

LE GRAND BOULEVERSEMENT

Maurice Le Noblet Duplessis, député de Trois-Rivières, fut premier ministre du Québec de 1936 à 1939 et de 1944 à 1959. Durant ce règne de 15 ans – le mot règne illustrant bien le pouvoir presque absolu qu'il tenait entre ses mains durant tout ce temps –, Duplessis a souvent réussi à convaincre la population de la valeur de ses idées et de son type de gouvernement. Ainsi, il aimait répéter que *« le système d'éducation du Québec est le meilleur au monde... »*. Qui, alors, pouvait oser le changer ?

Ce système était, d'une certaine façon, sous l'autorité quasi exclusive de l'Église catholique, du moins en ce qui concernait les francophones, en grande majorité catholiques. Au niveau des structures gouvernementales, la responsabilité de l'éducation appartenait au Conseil de l'instruction publique, qui régissait les écoles catholiques et protestantes, et où les évêques détenaient la majorité des sièges du Comité catholique. Il en était ainsi depuis 1875. La hiérarchie catholique exerçait donc un contrôle serré non seulement sur l'enseignement religieux, mais éga-

Monsieur Maurice Duplessis

lement sur l'ensemble de la gestion pédagogique et administrative. Les universités de langue française (Laval, Montréal et Sherbrooke) avaient toutes trois obtenu une charte pontificale qui les liait à l'enseignement officiel de l'Église, tant dans les programmes que dans le comportement moral de leur personnel enseignant.

De l'école primaire jusqu'à l'université, l'Église, par ses prêtres, ses religieux, ses religieuses, ses investissements et ses biens immobiliers, pouvait exercer un contrôle monopolistique sur le contenu des études : la loi lui en accordait la responsabilité par le truchement du Comité catholique. Évidemment, il ne fallait pas y chercher une variété d'écoles de pensée : la fidélité à la tradition catholique, dans la lignée romaine et par sa spiritualité française, était sacrée. Personne n'y voyait de problème : l'unanimité de pensée et le respect de l'autorité rapprochaient indissociablement les cœurs et les esprits.

Dans ce secteur public, même s'il était souvent géré par des congrégations religieuses diverses et autrement autonomes, il manquait, localement, à ces collaborateurs exceptionnels, ce que certains pouvaient le plus désirer : le contrôle des fonds… Pour tout ce qui était nécessaire à la construction de locaux, à l'agrandissement des édifices, à l'organisation du système, à la rémunération du personnel, bref, pour toute l'organisation et la survie des institutions, le système était géré par le Département de l'Instruction publique. Et M. Duplessis tenait lui-même les cordons de la bourse. Il fallait donc satisfaire au bon plaisir du Prince pour mériter ses faveurs, même quand on les considérait comme un dû. Voilà pourquoi le Premier ministre appréciait autant « son » système d'éducation : il s'assurait d'un contenu aussi favorable à son propre système de valeurs qu'à ses objectifs politiques.

Il faut dire que l'ensemble des citoyens s'y sentait à l'aise : ils vivaient dans une convergence de pensée qui ne ressemblait en rien à la situation du Québec d'aujourd'hui. L'homogénéité de souche engendrait l'unanimité dans la population, ce qui facilitait la tâche du gouvernant : il était normal que les parents appuient une démarche où l'accord s'était fait autour des valeurs morales et familiales traditionnelles. Le Secrétariat de la province soutenait non seulement les niveaux primaire et secondaire, mais également le postsecondaire, les grandes écoles et tout le secteur privé. Ce qui signifie que même le secteur juif dépendait de cette structure gouvernementale pourtant fortement imprégnée de la pensée catholique.

La foi apparaissait encore comme « la sauvegarde de la langue » ; et la langue symbolisait l'identité nationale des Canadiens français, comme s'appelaient les Québécois d'alors, y compris les plus nationalistes. Bien sûr, on pouvait compter, ici et là, des mouvements d'intellectuels qui se regroupaient en manifestant une plus grande liberté face à des positions officielles transmises par le clergé, mais ils étaient rares et assez isolés. Duplessis pouvait donc compter sur l'appui des fidèles comme des clercs dans sa défense de l'école traditionnelle.

L'enseignement privé profitait davantage d'autonomie. C'est ainsi que les collèges de diverses congrégations religieuses pouvaient tous conserver une certaine identité de culture, de tradition ou d'enseignement propres : les collèges des Jésuites se distinguaient sans équivoque de ceux des prêtres séculiers, de la Congrégation de Sainte-Croix ou des frères des Écoles chrétiennes. Chacun protégeait de son mieux la personnalité qu'il pouvait exprimer dans son enseignement et dans sa vie interne, tout en demeurant fidèle à des normes identiques que l'on trouvait dans la plupart des maisons d'enseignement du Québec : direction religieuse et enseignement traditionnellement catholique.

C'était particulièrement le cas des collèges classiques, chemins presque exclusifs des études universitaires (sauf pour les Hautes Études commerciales ou pour Polytechnique, qui ouvraient leurs portes aux finissants des cours scientifique ou commercial). Ils préparaient aux « professions libérales » et au sacerdoce, chez les garçons. Les collèges de filles offraient une démarche semblable avec quelques adaptations particulières. Personne ne semblait, du moins officiellement, vouloir remettre en question cette structure et son contenu : les deux semblaient répondre aux besoins du temps et aux attentes d'une majorité.

Dire cependant que le tout satisfaisait la totalité de la population est certainement exagéré : les milieux intellectuels, de Montréal et de Québec, même fidèles à l'Église, prenaient conscience d'une nouvelle diversité d'opinions dans un Québec qui devenait petit à petit un peu moins unanime. L'École des sciences sociales du père Georges-Henri Lévesque, o.p., de l'Université Laval, représentait assez bien une nouvelle tendance de catholiques qui prenaient leurs distances par rapport aux références traditionnelles et questionnaient les types de présence ecclésiale au sein des institutions sociales. Un groupe d'intellectuels signèrent, en 1948, un « Refus global », manifeste assez agressif aux positions d'affranchissement vraiment radicales. Bref, sous une image de fidélité au passé, des signes avant-coureurs laissaient entrevoir la nécessité de changements importants dans la société. Même dans l'Église universelle, le Concile Vatican II, qui se déroula à Rome de 1962 à 1965, refléta, quelques années plus tard, le désir de changements profonds qui se préparaient : l'Église elle-même voulait redéfinir son mode de présence au sein de la société moderne.

La mort de Maurice Duplessis et le renversement de gouvernement qui suivit, un an plus tard, furent alors des éléments marquants qui précipitèrent la lente gestation d'un nouvel univers qui devait naître au Québec.

Le père Georges-Henri Lévesque

REFUS GLOBAL

paul-émile borduas

D'ici là, sans repos ni halte, en communauté de sentiment avec des assoiffés d'un mieux-être, sans crainte des longues échéances, dans l'encouragement ou la persécution, nous poursuivrons dans la joie notre sauvage besoin de libération.

Paul-Émile BORDUAS

Magdeleine ARBOUR, Marcel BARBEAU, Bruno CORMIER, Claude GAUVREAU, Pierre GAUVREAU, Muriel GUILBAULT, Marcelle FERRON-HAMELIN, Fernand LEDUC, Thérèse LEDUC, Jean-Paul MOUSSEAU, Maurice PERRON, Louise RENAUD, Françoise RIOPELLE, Jean-Paul RIOPELLE, Françoise SULLIVAN.

LA RÉVOLUTION DE L'ÉDUCATION

Le nouveau premier ministre élu en juin 1960, Jean Lesage, s'engagea dans un premier temps à ne pas toucher au système d'éducation. Toutefois, le contexte de renouveau qu'il voulait imposer au Québec l'incita à revoir ses positions. Pour ne rien brusquer et pour se protéger dans une mutation qui pouvait choquer la population, il choisit de se référer à des études «sérieuses» plutôt qu'à des pressions d'individus: il institua alors, en 1961, une Commission royale «pour étudier l'organi-sation et le financement de l'enseignement dans la province de Québec...». De façon très prudente, il y nomma six commis-saires connus pour leur valeur intellectuelle, mais aussi pour leur fidélité à l'Église, avec comme président Mgr Alphonse-Marie Parent, vice-recteur de l'Université Laval. La «Commission

Parent » reçut un double mandat : « *étudier l'organisation et le finance-ment de l'enseignement dans la pro-vince* », d'une part, et, d'autre part, formuler des « *recommandations quant aux mesures à prendre pour assurer le progrès de l'enseignement* ».

Le processus se mit en branle rapidement, mais la commission sié-gera durant cinq bonnes années avant de parvenir au terme de son mandat, multipliant les séances, scrutant les mémoires sollicités de tous les groupes ou individus concernés, visi-tant même des institutions en divers pays pour faire une étude complète de la situation de l'enseignement public et privé dans le monde.

Monsieur Jean Lesage

Les membres de la Commission Parent

69

Il devenait évident, dans l'esprit d'un bon nombre de personnes de divers milieux, que des changements s'imposaient. Entre autres, concernant la possibilité d'accès aux études supérieures : le cours classique, voie unique et réservée à l'enseignement privé, était remis en question. Un vent de démocratisation des structures, accompagné d'un désir accru de connaissances plus ouvertes sur le reste du monde, fortement alimenté par l'entrée massive de la télévision dans les foyers depuis une dizaine d'années (1952), transformait petit à petit les mentalités. Les portes de l'école devaient s'ouvrir, de la maternelle à l'université.

Dans la première partie des recommandations que présenta la Commission en avril 1963, on en trouvait une qui sera à la base de tout le bouleversement ultérieur : celle qui proposait la création d'un ministère de l'Éducation, d'un Conseil supérieur de l'éducation ainsi que de comités, catholique et protestant, *« pour assurer le caractère religieux de l'école ».*

Évidemment, la Commission veillait à la préservation du patrimoine. Mais l'interprétation des Québécois pouvait varier. Mgr Parent s'empressa de calmer les esprits qui paraissaient s'inquiéter de la disparition de l'Église dans les écoles : *« On oublie qu'on ne pourra jamais laïciser l'école, dans un régime vraiment démocratique, tant que la majorité n'en aura pas décidé ainsi… »*

À la suite des recommandations de la Commission, les divers groupes concernés par la question s'exprimèrent clairement : une douzaine d'organismes leur accordèrent un appui intégral, une vingtaine les acceptèrent avec quelques réserves légères, sept avec des réserves sérieuses et sept autres manifestèrent leur désaccord total. À noter que parmi les plus farouches adversaires du rapport, on trouvait un Jésuite, le père Jean Genest, considéré comme un expert des questions d'éducation à l'époque : *« En ignorant les grandes constantes de la civilisation canadienne-française, le rapport n'a pu présenter des suggestions enracinées dans les valeurs fondamentales de la vie de notre peuple »,* écrivit-il alors.

Mais que pensait l'épiscopat catholique, jusqu'à ce jour tout-puissant dans le milieu éducatif, de ce remue-ménage qui pouvait altérer gravement la présence de l'Église au cœur du projet d'enseignement et de la transmission de la foi dans les écoles? Allait-il suivre l'avis craintif du père Genest ou celui plus ouvert de Mᵍʳ Parent?

Dès la parution du rapport, Jean Lesage, aussi habile que respectueux, délégua son ministre de la Jeunesse, Paul Gérin-Lajoie, auprès du cardinal Maurice Roy, archevêque de Québec et primat de l'Église canadienne, pour lui en présenter le contenu. Rencontre informelle qui permettait à l'évêque de poser certaines questions et au ministre de fournir des éclaircissements apaisants.

Assez étrangement, le cardinal choisit de ne pas réagir directement aux recommandations du rapport, qui n'avait pas encore été formellement étudié. Sa stratégie consista plutôt à signer une lettre avec ses confrères de l'épiscopat – document de toute évidence préparé depuis quelque temps –, sans aucune référence au rapport Parent, et de l'adresser à l'ensemble des Québécois, *« citoyens de notre province »*. Les évêques y abordaient les grands thèmes de l'éducation, exprimant leur inquiétude face aux idées nouvelles qui contredisaient les principes chrétiens chers à *« la presque totalité des citoyens de notre province »*, et terminaient par l'énonciation de principes liant l'éducation à la famille, à l'État, à la tradition chrétienne et aux droits de chacun. On le voit, rien de trop gênant ni de trop exigeant.

Le Cardinal Maurice Roy

71

Mais, quelques jours après la publication de cette missive aux catholiques, le cardinal Roy fait remettre une lettre personnelle au premier ministre Lesage. En bref, il y exprime sa crainte de changements empruntés à d'autres cultures qui ne respecteraient pas les caractères essentiels de la société québécoise. Puis, le cardinal transmet des « notes » où, sur le ton de l'interrogation, il émet ses réticences personnelles sur les conclusions du rapport. En clair, il exprime ses réserves sur un projet de loi qui devrait suivre la recommandation du rapport concernant la formation d'un ministère de l'Éducation au Québec. Surtout, il dit craindre *« la centralisation excessive »*, la toute-puissance du ministre *« même dans l'ordre spirituel »*, la création d'un organisme, le Comité catholique, *« muni de pouvoirs très limités »*.

Jean Lesage a tenu compte des inquiétudes de l'archevêque. Il lui propose un texte corrigé du projet de loi, et le cardinal se serait dit *« satisfait »*. À un point tel que le 22 juin 1963 *La Presse* pouvait publier un article intitulé : *« Ministère de l'Éducation avec la bénédiction de l'épiscopat »*! Rapidement, le ministre Gérin-Lajoie s'empressa d'affirmer que *« l'Assemblée des évêques n'a jamais été consultée par le gouvernement sur aucun projet de loi visant à créer un ministère de l'Éducation et un Conseil supérieur de l'éducation »*. Évidemment, il y avait là plusieurs « restrictions mentales », comme l'affirmera lui-même, en 1989, l'ex-ministre libéral dans son *« Combat d'un révolutionnaire tranquille »* qui reprenait l'essentiel de ses démarches préparatoires au projet de loi.

Mais il faut se rappeler que le premier projet du « Bill 60 », comme il fut nommé, ne garantissait d'aucune façon le développement et la promotion des écoles catholiques et protestantes, là où le souhaitaient les familles. L'intervention du cardinal Roy a permis d'obtenir des garanties à ce chapitre. On créa donc les postes de deux sous-ministres associés avec pouvoir de gestion des écoles reconnues comme catholiques et protestantes ; ils étaient également membres d'office au Conseil supérieur de l'éducation, de même que présidents des deux comités confessionnels. Les pouvoirs conférés à chacun de ces comités étaient de reconnaître le caractère confessionnel des écoles, de les réglementer, d'approuver tant les programmes d'études que le matériel pédagogique utilisé et, enfin, de transmettre directement leurs avis au ministre.

Trois jours plus tard, Paul Gérin-Lajoie déposait son projet en Chambre. La réforme du système de l'éducation était mise en branle. D'abord, on s'attaquait aux structures gouvernementales ; le reste devrait nécessairement suivre.

Monsieur Paul Gérin-Lajoie

Évidemment, le milieu de l'éducation était aux aguets : on se préparait à des choix difficiles. Il apparaissait de plus en plus certain que la présence de l'Église à tous les niveaux de l'éducation sera ébranlée par des courants d'idées qui lui refusent une telle omniprésence, avec autant d'autorité et de pouvoir à tous les niveaux. Chose certaine, c'est que l'esprit de Maurice Duplessis, qui tentait d'imposer à tous sa vision du *« meilleur système d'éducation au monde »* était dépassé : il fallait faire place à une refonte du système qui paraissait devoir s'imposer rapidement dans la population.

Dépôt du Rapport Parent

Le gouvernement savait qu'il pouvait agir : deux mois après la présentation de la première partie du rapport, il créait le ministère de l'Éducation et de la Jeunesse, et promulguait la loi du Conseil supérieur de l'éducation. Le premier ministre Lesage nomma à la tête du nouveau ministère, comme on s'en doutait bien, Paul Gérin-Lajoie, qui s'y engagea passionnément et poursuivit la réforme amorcée.

Cette réforme de l'enseignement représente encore aujourd'hui un des gestes qui ont le plus marqué les mentalités dans l'histoire du Québec. Deux noms y demeurent attachés à jamais : ceux de Mgr Parent, qui a su inspirer les membres de sa commission dans une vision commune, et de Paul Gérin-Lajoie, qui a parrainé le projet de loi avec sagesse, respect et détermination.

Quelques années plus tard, en 1966, quand les libéraux de Jean Lesage perdirent le pouvoir aux mains de l'Union nationale, personne n'osa suggérer un retour au passé. Le nouveau premier ministre, Daniel Johnson, poursuivit la réforme à sa façon, sans jamais aucune référence au discours de son ancien chef : même au sein de son parti, l'esprit de Maurice Duplessis était mort avec sa personne.

Le Québec, aux ambitions de plus grande autonomie et de nouvelle liberté, était-il prêt pour une refonte radicale ou progressive d'un enseignement traditionnel qui voulait prendre ses distances pour se lier aux réalités maintenant vécues ? On n'en savait encore rien. Mais rapidement, on surnomma cette évolution sociale québécoise *« la révolution tranquille »*. En fait, les prises de décision de 1963 se préparaient depuis de nombreuses années. Donc, pour plusieurs, les changements n'avaient rien de trop surprenant : même les institutions les plus traditionnelles savaient qu'elles allaient devoir un jour s'ajuster à une nouvelle réalité.

On l'a vu, l'élite intellectuelle, même catholique, n'accordait plus à l'Église et à ses représentants la même autorité : cette autorité indiscutablement absolue, il y a à peine quelques années, était remise en question et parfois sévèrement jugée. Un catholique aussi fervent que Claude Ryan, alors dirigeant de l'Action catholique, avait écrit, en 1955 : « *Notre religion est souvent négative : les défenses, les avertissements, les campagnes négatives y occupent une place assez importante.* » Pas étonnant que l'esprit « *laïc* », prônant la déconfessionnalisation des institutions traditionnellement confiées à l'Église, ait touché plusieurs milieux intellectuels. Jacques Mackay, qui présidait le Mouvement laïque de langue française, écrivit plus tard : « *De 1958 à 1964, le processus de sécularisation balaie une forme de religion qui s'était institutionnalisée au XIXe siècle… Au moment où s'achève le Concile et s'essouffle la révolution tranquille, la religiosité demeure, bien sûr, vivace. Mais l'Église n'est plus un agent totalisateur de l'organisation sociale. La société baigne désormais dans une atmosphère désacralisée.* » Le modèle québécois d'éducation et de ses institutions va devoir se transformer.

« *C'est la fin d'une ère* », disait en 1961, dans une conférence, le provincial des Eudistes, le père Édouard Boudreault. On l'avait jugé hardi, presque à l'excès. Mais les choses évoluaient tellement vite qu'un mois plus tard un confrère lui disait : « *En fait, tu n'es déjà plus à l'avant-garde…* »

Monsieur Claude Ryan en 1953

UN NOUVEAU DÉPART

À l'automne de 1960, au moment où s'amorcent les immenses changements que l'on a décrits plus haut, le Collège des Eudistes est encore jeune et de petite taille. Dirigé par le père Raoul Martin, il compte 475 élèves. Le corps professoral se compose de 15 Eudistes et de 16 laïcs. Mais trois ans plus tard, le nombre d'élèves passe à 565; les religieux demeurent toujours 15 et l'équipe laïque atteint maintenant 29 membres. À Québec, en 1965, à l'Externat classique Saint-Jean-Eudes, le corps professoral comprend seulement 14 Eudistes travaillant en collaboration étroite avec une cinquantaine de laïcs. Les dirigeants de la congrégation se doutent bien que des problèmes de manque de personnel vont bientôt survenir et que l'entrée dans les collèges d'une main-d'œuvre non eudiste devra augmenter les frais d'opération et transformer les mentalités. Le nombre de plus en plus réduit d'entrées dans les congrégations, s'ajoutant à celui des religieux demandant leur laïcisation, n'a rien de rassurant. Y aura-t-il une relève pour prendre en main les institutions existantes?

Malgré tout, le Collège des Eudistes établit ses liens avec le milieu: en septembre 1962, le père Raoul Martin, réclame «la faveur d'être officiellement affilié à l'Université de Montréal». La recommandation est faite par le cardinal Léger. Requête rapidement accordée.

L'ensemble du personnel en 1960

La congrégation des Eudistes n'est pas la seule à faire face à cette situation de plus en plus gênante. Par exemple, au Collège Sainte-Marie, à Montréal, en 1945, on y trouve 35 professeurs jésuites et 6 laïcs ; 20 ans plus tard, on comptera 160 laïcs pour 6 religieux. De plus, les Pères ont en moyenne 51 ans ; les professeurs laïcs, 30 ans. *« La vocation du Sainte-Marie comme collège classique traditionnel et institution chrétienne à direction cléricale paraît dépassée »*, écrit alors le recteur, le père Yves Labonté.

C'est dire le bouleversement ressenti dans l'ensemble des institutions québécoises d'enseignement secondaire et supérieur. On entend de plus en plus parler de collèges qui se transforment pour faire face à une situation nouvelle qui leur pose un inquiétant défi.

La structure nouvelle, proposée par la Commission Parent à l'été 1966, bouleverse totalement le système traditionnel. La volonté des auteurs est, on le sait, de démocratiser l'enseignement, c'est-à-dire permettre à plus de jeunes d'étudier plus longtemps dans le secteur public, y trouvant un accès plus facile vers les études supérieures. Il devenait alors évident que, dans cette perspective, le collège classique, totalement lié à l'enseignement privé, ne pouvait survivre dans la forme qu'il avait connue depuis un siècle. Il fallait proposer une autre approche et un autre itinéraire scolaire.

La proposition contenait une structure scolaire à quatre niveaux : six années au primaire, cinq autres au secondaire, deux au collégial régulier ou trois au professionnel, et enfin l'université pour le nombre d'années nécessaires à l'obtention du degré recherché.

Il faut dire que, depuis 1960, le monde des collèges classiques avait traversé certains bouleversements prémonitoires dans la région de Québec, dans les institutions affiliées à la Faculté des arts de l'Université Laval. Une commission d'étude interne, dirigée par un autre ecclésiastique, Mgr Alphonse Lafrenière, avait déjà suggéré un certain partage à l'intérieur de la structure classique, pour laquelle on proposait cinq ans de secondaire, suivis de trois ans de collégial, le tout menant au baccalauréat traditionnel. Les maisons qui avaient accepté d'implanter cette recommandation devaient se soumettre à des exigences nouvelles quant aux installations, aux qualifications professorales, aux bibliothèques, aux laboratoires, etc. Exigences tellement élevées qu'un certain nombre de collèges choisirent de n'offrir que le cours secondaire, laissant à d'autres les années du collégial, correspondant à la rhétorique et aux deux années de philosophie d'autrefois. Partout au Québec, on se doutait bien que les recommandations de la Commission Parent allaient obliger les collèges classiques à s'imposer de nouvelles répartitions de leurs structures scolaires ou à faire des choix importants pour leur avenir.

À l'Externat classique Saint-Jean-Eudes de Québec, par exemple, la direction avait accepté le défi d'offrir et le cours secondaire et le cours collégial dans un même lieu; les recommandations de la Commission Parent lui créaient maintenant l'obligation de faire un choix entre les deux options. Débat difficile à résoudre : d'une part, le collège possédait toutes les qualifications pour offrir l'enseignement collégial; d'autre part, un bon nombre de professeurs favorisaient un accès plus varié et plus facile à l'université. On se demandait s'il était toujours nécessaire de connaître le latin et le grec, la chimie et le thomisme pour devenir un « professionnel » ? Le cours classique était subitement remis en question, autant chez les étudiants et chez les professeurs que dans les coulisses gouvernementales.

Sur le plan financier, le Collège des Eudistes de Rosemont s'en était jusqu'à maintenant convenablement tiré, avec la participation des parents, l'aide du gouvernement du Québec et d'énormes sacrifices de la part des Pères. Mais l'ajout de plus en plus important de professeurs laïcs, nécessaire dans les circonstances, créait des conditions budgétaires toujours plus difficiles. Les professeurs religieux ne recevaient aucun salaire; ils gagnaient quelques dollars en s'imposant un certain ministère paroissial les fins de semaine, un salaire qu'ils remettaient d'ailleurs à la communauté! Les Eudistes, comme les Jésuites ou les autres membres de congrégations religieuses, d'hommes ou de femmes, se trouvaient toujours de moins en moins nombreux face aux laïcs des collèges.

Depuis longtemps, les Jésuites caressaient le projet de mettre sur pied, sur le site du Collège Sainte-Marie, la seconde université de Montréal. Mais les oppositions laïques furent si nombreuses, venant de l'Université de Montréal comme d'autres milieux intellectuels, qu'ils durent abandonner leur projet. L'avenir semblait alors bouché. En novembre 1966, un Jésuite, appuyé par plusieurs confrères déclarait: «*La Compagnie (de Jésus) ne peut plus et ne veut plus administrer Sainte-Marie; elle y trouve là des responsabilités qui la dépassent.*» L'année suivante, le Collège Sainte-Marie, trésor des Jésuites et au passé glorieux, fut confié à une administration publique; quelques mois plus tard, il disparaissait. Son projet de transformation en université nouvelle laissait la place à l'Université du Québec à Montréal. Le sort de toutes les autres institutions classiques se jouait en même temps, de façon semblable, toujours avec la même angoisse et la même interrogation face à l'avenir.

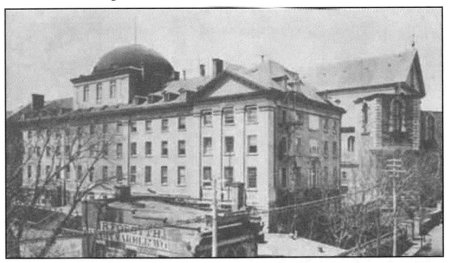

Le Collège Sainte-Marie, devenu maintenant l'UQAM.

Au moment de la création du nouveau ministère, le Collège des Eudistes n'a que 10 ans ; il doit déjà se poser les mêmes questions qui s'imposent à toutes les maisons d'éducation supérieure du Québec. Après 10 ans d'efforts, de sacrifices et finalement de succès, au moment où il croyait avoir atteint une vitesse de croisière chèrement acquise, il se retrouve face à de nouveaux choix, à de nouveaux enjeux, à une nouvelle aventure.

L'HEURE DES CHOIX

Quand, à l'été 1966, la Commission Parent remet la dernière partie de son rapport, le bouillonnement d'idées, l'expression d'opinions et la réflexion personnelle de bien des gens ont tous fait leur bout de chemin. Les conclusions du rapport, recommandant la prise en charge totale de l'État sur le secteur de l'éducation, l'élimination de la structure classique traditionnelle et la création d'un nouveau type d'institutions, auraient pu paraître excessives et même outrancières, il y a à peine quelques années ; elles semblaient maintenant convenir à un nombre toujours plus grand de parents, d'étudiants et d'observateurs divers. Elles s'insérèrent alors dans un contexte de nouvelle prise de conscience ; les structures proposées privilégiaient l'enseignement secondaire.

Les Eudistes de Québec, qui avaient formé leurs élèves dans le cours classique pendant de nombreuses années, savaient qu'ils devaient faire maintenant un choix entre l'enseignement au secondaire ou au collégial. Ils décidèrent tout simplement de se retirer de ces nouvelles structures et de vendre leur maison à une nouvelle corporation appelée Cégep de Limoilou (Collège d'enseignement général et professionnel), nom que l'on avait choisi au ministère pour identifier la nouvelle structure d'enseignement supérieur.

À Montréal, la question se posait aussi impérativement : devait-on choisir l'enseignement secondaire de cinq ans, qui

L'Externat classique de Québec,
maintenant devenu le Collège de Limoilou.

répondait à une attente certaine des familles du quartier et qui demeurait en relation avec la vocation traditionnelle des Eudistes, ou le collégial, qui représentait un nouveau défi de préparation aux études universitaires et une avenue nouvelle offerte à un bon nombre de jeunes aspirant aux études universitaires ?

Comme celui de Québec, le Collège des Eudistes de Rosemont s'était acheminé, en 1964, dans le sentier des recommandations de la Commission Lafrenière, qui partageaient le cours classique en deux niveaux : le secondaire et le collégial. Chaque niveau ayant besoin de ses propres administrateurs, les coûts de l'administration régulière se voyaient automatiquement doublés. Et comme à Québec, on savait qu'il deviendrait bientôt impossible, ou extrêmement difficile, de conserver indéfiniment les deux options présentement offertes, il n'y avait plus moyen de financer l'ensemble des programmes. La question était de savoir quelle option pourrait le mieux servir la population visée dans la fondation du collège. Le secondaire ou le collégial ? Le privé ou le public ?

Le collège était bien jeune pour sitôt se transformer : il venait tout juste de définir sa voie que déjà il lui fallait changer son cours...

À ce moment-là, le père Martin, qui avait été de la toute première équipe du collège, dut quitter la direction de l'institution. Il laissa alors sa place à un jeune professeur de 35 ans, le père Clément Légaré, jusqu'alors professeur de lettres à l'Externat classique Saint-Jean-Eudes de Québec. Le nouveau directeur faisait face à un énorme défi: il devait orienter le Collège des Eudistes de Montréal vers son nouvel avenir.

Une première question se posait: les Eudistes pouvaient-ils indéfiniment, ou même pour un certain temps, conserver, seuls, la totale responsabilité du collège ou devaient-ils penser à en remettre l'entière direction à une nouvelle corporation laïque qui prendrait la relève tout en cherchant à respecter les orientations des fondateurs?

Déjà, la cohabitation de professeurs laïcs et des religieux n'allait pas sans problème: la syndicalisation des professeurs, partout au Québec, posait de nouvelles interrogations au personnel enseignant religieux, habitué à donner sans compter,

Le père Clément Légaré

sans d'autres salaires que celui du devoir accompli au service d'une cause. Devait-il maintenant aligner son engagement dans la voie des revendications, des traditions et des règles syndicales?

Le recteur du collège appréhendait les pressions des professeurs, des parents, des élèves, et même de tout le quartier. On sentait l'insécurité se répandre chez les uns comme chez les autres. Pour certains, c'était l'inquiétude devant l'inconnu de structures, de programmes et de regroupements nouveaux; pour d'autres, l'incertitude quant aux compétences professionnelles exigées. Des sessions d'étude sur les recommandations du rapport Parent apportèrent quelques lumières au personnel enseignant ; mais on se trouvait quand même devant un univers encore peu défini. Et puis, il fallait penser à la question bien prosaïque du financement, qui demeurait une constante inquiétude, sinon une obsession, depuis les tout premiers jours du collège. Au départ, le cardinal Léger avait bien rassuré les Eudistes, leur promettant son aide et celle de l'Église, toutes deux capables de répondre aux préoccupations financières, mais, dans les faits, la situation du collège, avec ses nombreux professeurs laïcs et ses critères de qualité, ne trouvait aucune réponse auprès de l'Église institutionnelle et de ses représentants officiels.

Le personnel enseignant, de son côté, était partagé : plusieurs professeurs se sentaient mieux préparés à répondre aux exigences pédagogiques du cours secondaire que du collégial. Les Pères ressentaient personnellement peu d'intérêt pour le collège public, qui offrirait des programmes de type dit « professionnel » en même temps que les cours qui ouvraient la porte à l'université. Évidemment, plusieurs d'entre eux se sentaient davantage liés à leur vocation première par leur présence au niveau du secondaire, dans le cadre de l'enseignement privé et confessionnel. D'autres craignaient que les exigences gouvernementales pour l'enseignement collégial ne les obligent à une adaptation pédagogique qu'ils n'étaient pas vraiment désireux de s'imposer.

Monsieur Serge Boudreau

Élève en 1964   *Professeur en 1975*   *Directeur adjoint en 2002*

Les élèves aussi s'interrogeaient et s'inquiétaient. Serge Boudreau, qui devint professeur et membre de la direction du collège pendant de nombreuses années, étudiait alors au collège et se trouvait au milieu de son cours classique ; il se rappelle que ses confrères, autant que lui, se préoccupaient avant tout de terminer leur classique pour obtenir leur baccalauréat ! Qu'allait-il leur arriver si «leur» collège changeait subitement son orientation première et abandonnait leur programme en cours de route ? On peut les comprendre.

La direction des Eudistes, de son côté, semblait plutôt portée à suivre l'exemple de Limoilou, c'est-à-dire mettre sur pied un collège d'enseignement général et professionnel, que le langage populaire et même officiel, avons-nous vu, avait baptisé «cégep». Elle envisagea alors une nouvelle hypothèse : un projet associant le Collège des Eudistes à l'Institut Cardinal-Léger, collège voisin qui offrait le cours classique aux jeunes filles. On pourrait ainsi créer un ensemble imposant, ouvert aux garçons comme aux filles, et capable de répondre à toutes les attentes, tant du milieu que du ministère. Des rencontres exploratoires entre les diverses autorités laissaient entrevoir des possibilités réelles quant à la survie du projet. Ceux qui voulaient terminer leurs études classiques étaient du coup rassurés.

Le CÉGEP de Rosemont, voisin du collège qui abritait,
à l'origine, l'Institut Cardinal-Léger.

Les parents, comme les élèves, et souvent avec eux, s'interrogeaient sur la nouvelle structure d'école publique de niveau secondaire : « la polyvalente ». Selon les projets mis sur papier, cette école de grande dimension allait offrir à ses élèves un choix immense de possibilités d'orientation, incluant, sous le même toit, autant la préparation professionnelle nécessaire à l'exercice d'un certain nombre de métiers que l'enseignement traditionnel secondaire préparant au cours collégial. Évidemment, cette structure exigeait de très vastes espaces et de nombreux locaux. La polyvalente moyenne devait donc compter jusqu'à deux ou trois mille élèves et des centaines de professeurs pour offrir un tel ensemble de services. On y regrouperait alors les enfants de plusieurs quartiers ou de quelques municipalités, sous la férule de dizaines d'administrateurs, de spécialistes et de professeurs de toutes compétences. Cette école pourrait accueillir des élèves aux orientations très diverses et de milieux forts différents.

L'avantage était alors d'offrir un produit semblable, et en même temps varié, au plus grand nombre de jeunes. Bien sûr, on s'attendait à ce que la relation maître-élève soit assez distante ; que les activités parascolaires soient minimes ; que l'esprit de groupe soit plus difficile à implanter ; et enfin, que la préoccupation de formation chrétienne soit pour le moins… diluée. Bref, un monde semblait devoir séparer l'enseignement privé traditionnel du nouvel enseignement public tel que présenté aux Québécois de cette époque. Les parents y songeaient ; les enfants s'interrogeaient ; il leur fallait s'exprimer et faire un choix.

La polyvalente Curé-Antoine-Labelle,
à Laval, en 1963.

Pour s'assurer de bien entendre les désirs des uns et les objections des autres, le père Légaré met sur pied, en février 1966, un Comité conjoint chargé de prendre le pouls de tous les gens concernés par la décision future. Il nomme au comité trois membres de l'administration et trois professeurs syndiqués. La formule de consultation semble plaire : c'est une première occasion d'unir les forces du nouveau syndicat à celles de la direction. On se félicite de la bonne entente et de la compréhension mutuelle qui marquent les échanges.

Puis, en octobre de la même année, le supérieur crée un Comité d'étude sur l'orientation du collège, chargé de mener une « enquête judicieuse » pour définir l'option définitive dans laquelle le collège devra s'engager. Cette fois, il demande à huit personnes de son entourage de s'engager dans cette nouvelle démarche : deux Eudistes, deux parents, deux professeurs laïcs et deux directeurs de recherche ; lui agirait comme président. Il faut décider non seulement des structures mais aussi de la présence de la communauté eudiste dans un autre type de collège. Quel que soit le niveau d'enseignement choisi, devrait-elle en garder la direction ou mettre sur pied une nouvelle corporation laïque dont les Eudistes se retireraient à court ou à moyen terme ? La question des ressources financières, qui a souvent angoissé les directions précédentes, est aussi, on le devine, de première importance.

La première réunion, tenue le 16 novembre 1966, laisse aussitôt présager que les débats devront se poursuivre un bon moment, à cause de la complexité du choix à faire, de la variété des consultations à mener et de la diversité des opinions exprimées. Le 28 janvier 1967, l'incertitude dans laquelle baigne l'ensemble des maisons d'enseignement oblige le comité à choisir une triple voie : statu quo au collège pour encore un an, avec cours secondaire et cours collégial, association avec la Commission des écoles catholiques de Montréal (CECM) au niveau secondaire pour stabiliser la situation financière précaire du collège, et, en même temps, étude de la possibilité d'éventuellement transformer le collège en cégep.

Une semaine plus tard, avec l'appui mais aussi la réticence du Comité des parents, le collège signe son contrat d'association avec la CECM : il faut absolument trouver des sous pour gagner du temps avant de s'engager plus avant dans un choix encore trop difficile à faire. Les parents craignent que cette proximité non désirée engendre une mauvaise influence sur l'avenir du collège. Le secrétaire de l'Association écrit alors au provincial des Eudistes, le père Édouard Boudreault : « *La confiance que nous mettons dans les grands et compétents éducateurs que sont vos fils spirituels est indéniable et nous espérons ne jamais voir le jour où le collège ne sera plus la maison de formation intégrale vers laquelle nous avons dirigé nos enfants.* » Le supérieur le rassure : « *Sans croire que toutes les institutions privées doivent exister, nous croyons cependant que les meilleures d'entre elles doivent faire partie du système national d'éducation. Loin de concurrencer le secteur public, l'institution privée sera son complément dans le phénomène de démocratisation perçu aujourd'hui dans l'État du Québec.* »

Le père Boudreault

Les parents des élèves, groupés autour du président de leur association, le docteur Marcel Comtois, s'engagent à fournir les appuis nécessaires pour réaliser leurs espérances. En novembre 1967, ils préparent un feuillet-questionnaire, appuyé par l'archevêché et distribué dans les 22 paroisses environnantes, où ils posaient directement la question : « *Les parents de l'est de Montréal veulent-ils que le Collège des Eudistes de Rosemont garde son statut privé au sein d'un système national d'éducation ?* » Sur les 16 000 bulletins distribués, on reçut 4 404 réponses, soit plus de 25 %, un taux jugé satisfaisant. Les résultats étaient éloquents et sans équivoque : 3 861 étaient en faveur du collège privé (89 %) et 486 étaient contre (11 %). Le milieu s'était donc clairement prononcé. Il fallait en tenir compte au moment de prendre la décision finale.

Feuillet-questionnaire concernant le statut privé du collège.

LE RAPPORT LÉGARÉ

Deux mois plus tard, en janvier 1968, le recteur Clément Légaré propose une grande réflexion à toutes les personnes impliquées dans le débat. Il faut agir sagement mais rapidement : dans un mois, on devra décider de l'utilisation des locaux du collège en septembre prochain. On ne peut toujours remettre à plus tard l'option définitive. Le recteur présente donc un document d'une cinquantaine de pages où il fait un survol descriptif du collège depuis sa fondation et où il pose, ensuite, « *dans toute sa dimension, le problème de notre orientation* ». À cause de l'importance de ce rapport, de la description de la situation telle qu'elle se présente alors et de l'influence qu'il eut sur l'avenir du collège, il est utile d'y jeter un regard attentif pour bien comprendre le choix que fit le collège en 1968.

Janvier 1968 : rapport sur l'administration générale et l'orientation particulière du Collège des Eudistes.

Clément Légaré est recteur du collège et supérieur de la communauté. Il connaît bien les forces et les limites de la maison qu'il dirige, ainsi que la générosité et les qualités pédagogiques de son personnel. Il considère que les sacrifices que se sont imposés ses confrères, ne gardant ni temps ni argent pour eux, mais mettant tout au service de leur mission, les ont tenus dans un cadre de vie en retrait du monde. De là, selon lui, une certaine gêne, un certain malaise devant une évolution qui affecte autant le milieu de l'enseignement que le reste de la société environnante, et dont une caractéristique paraît de plus en plus s'imposer : la démocratisation des structures, de toutes les structures, qu'elles soient professionnelles, sociales ou même religieuses.

Déjà, en février 1966, le père Légaré avait lui-même signé la première convention collective avec le syndicat du personnel enseignant, et bientôt il embauchait des adjoints administratifs en dehors du monde des Eudistes. Ce même mois, il créait le comité conjoint à la direction du collège, composé de trois membres de l'administration et de trois professeurs syndiqués. Puis, en octobre suivant, il mettait sur pied un comité de régie interne, où se réunissaient, sous sa présidence, les divers directeurs de la vie étudiante, en plus de créer le comité d'étude sur l'orientation de l'institution, tel que mentionné plus haut. En novembre, publication d'un bulletin d'information qui mettait la direction en relation plus étroite avec les professeurs, les étudiants et les parents d'élèves. À ce moment-là, il y avait 14 mois que les parents s'étaient regroupés en association pour prendre leur part de responsabilité dans la gestion du collège. En mars

1966 : première convention collective

1967, le recteur confiait la direction de la colonie de vacances du collège à un étudiant, assisté d'un conseil d'administration composé de 11 représentants de parents et d'étudiants. Et au mois d'octobre, il invitait deux de ses directeurs à se joindre au conseil de la corporation du collège.

Cette énumération des gestes du recteur illustre à quel point il se préoccupait de mettre en place, petit à petit, un processus de «démocratisation» au collège, s'associant le plus grand nombre possible de collaborateurs laïcs et leur accordant une confiance sans équivoque.

C'est pourquoi, après avoir décrit dans le détail sa vision de la situation présente au plan pédagogique et administratif, il suggère que le collège laisse à l'Institut Cardinal-Léger le soin d'offrir le cours collégial (cégep), gardant la responsabilité du cours secondaire aux Eudistes. À la suite de quoi, il présente quatre possibilités d'options:

a) l'abandon complet du collège à la CECM;

b) l'association avec la CECM;

c) l'institution privée sous la responsabilité des Eudistes;

d) l'institution privée prise en charge par le milieu. C'est cette dernière proposition qu'il va lui-même privilégier.

Plus concrètement, cette structure signifie que les Pères conservent la direction générale (pédagogique et pastorale) du collège, mais ils en remettent éventuellement la responsabilité financière à un conseil d'administration qui serait formé de 15 membres, dont 5 seraient des Eudistes et 5 autres des gens d'affaires, auxquels se grefferaient 2 parents, des professeurs et un ancien élève. *«Un chef d'entreprise ne disparaît pas parce qu'il a confié son portefeuille à ses comptables ...»* Le rapport propose alors un ensemble de recommandations visant l'application concrète de ce modèle nouveau.

Le 19 mars 1968, l'Institut Cardinal-Léger disparaît pour céder la place au « Cégep de Rosemont ». Le cours collégial des Eudistes va donc s'achever à la fin de l'année suivante. L'Association des parents tient vite une réunion : 425 personnes répondent à l'appel ! En accord avec les conclusions du rapport Légaré, elles expriment leur volonté de maintenir à tout prix un collège privé de niveau secondaire.

Une page importante dans la vie de plusieurs doit se tourner : le Collège classique des Pères Eudistes, institution qu'ils avaient fondée, qu'ils avaient soutenue avec leur cœur, leurs talents et leurs deniers, maison d'enseignement supérieur qui devait ouvrir les portes de l'université à des jeunes en quête de perfectionnement humain et professionnel, maison de formation supérieure au service d'un quartier qui voulait voir s'épanouir en son sein une élite au service des autres, ce collège devait disparaître. Il s'éteignait, dans un tourbillon social comme le Québec n'en avait jamais connu. Conséquence directe d'une « révolution tranquille » qui bouleversait doucement, mais cruellement, ceux qui la vivaient le plus intensément.

On peut imaginer le malaise des fondateurs du collège et de tous les Eudistes qui s'y trouvaient en « mission pastorale ». Aussi, l'inquiétude des élèves, celle des parents et celle du quartier. Tout le paysage scolaire venait de se transformer en seulement trois ou quatre ans. Mais aussi bouleversante que paraissait la disparition d'un premier rêve, l'espoir de présenter à la population de Rosemont un nouveau projet animait les cœurs : les Eudistes acceptaient de vivre une nouvelle aventure, celle d'un collège privé de niveau secondaire qui véhiculerait les mêmes valeurs que l'ancien collège classique. Pour répondre à de nouveaux besoins, ils s'engageaient à un nouveau service et à une nouvelle présence au milieu.

RÉFORME CHEZ LES EUDISTES

Il faut dire que ce bouillonnement social, qui touchait directement la mission pastorale des Eudistes, correspondait, en même temps, à l'évolution des mentalités au sein même de la congrégation.

En effet, en novembre 1966, le supérieur provincial de la congrégation, le père Édouard Boudreault, avait décidé de former une commission nouvelle au sein de la communauté, appelée *Comité d'étude sur l'orientation de la province* (des Eudistes). Il demanda alors à trois de ses prêtres d'en être responsables : les pères Marcel Tremblay, Paul-Marcel Poulin et Clarence Cormier. Leur mandat consistait principalement à s'enquérir auprès de leurs confrères de l'avenir qu'ils voyaient – voulaient ou désiraient – pour leur action pastorale. L'enquête s'est faite sérieusement : 252 questionnaires ont été distribués, 233 furent retournés, pour une moyenne de 92,4 %. Les réponses devaient donc convenablement refléter la pensée de l'ensemble.

Une première constatation s'impose : les religieux veulent prendre leurs distances face à certaines de leurs occupations traditionnelles. On demandait : *« Si nous avions à quitter une œuvre particulière dans la province canadienne, laquelle (ou lesquelles) faudrait-il quitter ? »* À cette question, on reçut 122 réponses

le père Lucien Bourque avec des bûcherons sur la Côte-Nord.

93

le père Claude Méthot (eudiste) en compagnie de deux élèves lors d'une mission d'aide à Pâques, en 1966.

Maison générale des Eudistes, à Rome

Des pères Eudistes et le pape Jean-Paul II dans sa bibliothèque à Rome, en 1986. À la gauche du Saint-Père : M. Normand Martin, employé du collège depuis 1963.

Le pape Jean-Paul II et M. Normand Martin, actuellement gérant des ressources financières, matérielles et comptables au collège.

94

dont seulement le tiers (41) favorisait la propriété et l'administration des collèges… Pourtant, c'était l'œuvre privilégiée de cette province depuis son arrivée en Acadie! C'est dire comme les mentalités évoluaient, surtout chez les plus jeunes.

La description des questions et des réponses, et les commentaires explicatifs étaient suivis d'un bouquet de recommandations. Les premières concernaient l'ensemble des missions eudistes; les secondes touchaient directement l'une ou l'autre de ces missions. Jetons un regard sur les premières avant d'approcher de plus près celles qui pouvaient affecter le Collège de Rosemont.

Après la description de la situation telle que décrite par les religieux s'impose une constatation générale dont l'esprit va inspirer tout le document: « *Dans un tel contexte, il apparaît normal que des prêtres-éducateurs comme les Eudistes, tout en cherchant à sauvegarder certains objectifs pour lesquels ils œuvrent en éducation, se demandent s'ils vont continuer à opérer comme par le passé…* »

D'où la première recommandation: « *Que les autorités provinciales et les autorités locales de nos maisons d'enseignement acceptent, comme principe général et ligne d'action, de se départir de la propriété de ces institutions, pour en remettre la responsabilité administrative et financière à la société, sous forme de corporation de caractère public.* » Suit alors une courte liste *d'exceptions* concernant des maisons d'éducation particulière des Eudistes qui devraient échapper à la règle. Dans laquelle liste n'apparaît pas le nom du Collège de Rosemont…

Rendons-nous donc immédiatement à la 24e et dernière recommandation du document, celle qui concerne Rosemont. La décision au sujet de cette maison n'est pas encore définitive, mais l'orientation est donnée: « *Si le ministère de l'Éducation prévoit un cégep dans ce secteur de Montréal, que le collège participe à la formation d'une Corporation publique, car nous n'avons ni le*

personnel ni les moyens financiers pour soutenir un tel cégep…
Sinon, que notre collège fonctionne au niveau secondaire et que soit
acceptée toute offre raisonnable provenant de la Commission des
écoles catholiques de Montréal pour l'achat de la maison. »

Le rapport cité ici reproduit le sentiment de tous les Pères de
la province des Eudistes, plus ou moins éloignés de la situation
locale : la complexité des problèmes trop localisés les empêche de
se prononcer de façon concrète sur la question de Rosemont.
Malgré cela, en juillet 1968, tous documents en main, la commission des œuvres canadiennes de la congrégation des Eudistes
parvenait, de son côté, à des conclusions d'orientation définitive. *« Que les recommandations qui ont fait l'objet du rapport*
Légaré sur l'Administration générale et l'orientation particulière du
Collège des Eudistes, dont s'inspirent les présentes recommandations,
soient endossées par l'assemblée provinciale spéciale. »

UN NOUVEAU COLLÈGE

Durant l'été 1968, le père Clément Légaré quittait le collège
pour aller poursuivre des études en Europe. Le père Édouard Boudreault, alors provincial des Eudistes, vint lui-même prendre sa
place à la direction du nouveau collège de niveau secondaire. Le
choix ne pouvait être meilleur : le nouveau directeur connaissait
bien la situation d'une maison qu'il avait vue naître et à laquelle il
avait presque donné la vie. En plus, on lui reconnaissait des qualités
exceptionnelles d'administrateur et de conciliateur, ce qui apparaissait bien opportun dans le contexte. Il savait que la responsabilité
qui lui échouait à ce moment-là se résumait en quelques mots :
mettre en place les éléments nécessaires à la nouvelle structure de
l'institution. En fait, accoucher d'un nouveau collège !

Oui, un tout nouveau collège ! Évidemment rajeuni : les
élèves sont tous des adolescents, puisque ceux du niveau collégial poursuivent leur cours au cégep. Mais ils sont nombreux :

650 ! On ne se pose plus la question du besoin auquel répond le collège : il est évident que cette institution de niveau secondaire répond aux attentes de tout le milieu, qui dépasse maintenant le quartier Rosemont.

Une autre question se pose, cependant : celle, toujours présente, du financement. En décembre 1968, le gouvernement du Québec présente son projet de loi 56 sur les institutions privées qui ne leur accorde que 80 % du coût moyen des élèves des institutions publiques de même catégorie. Ça fait mal : certains ont même le sentiment que le gouvernement veut discrètement étouffer le mouvement du privé sans qu'il n'y paraisse trop… Comment faire vivre un collège qui a comme vocation d'offrir à ses étudiants un surplus unique de formation avec un budget aussi amputé ? Moins d'argent pour faire plus ! La direction veut garder au plus bas niveau possible les frais de scolarité imposés aux parents. De plus, le collège est lourdement endetté : 800 000 $! Il va falloir mettre sur pied une corporation inspirée du modèle suggéré par le père Légaré : les Eudistes ne peuvent pas, à eux seuls, porter un tel fardeau. *« Même si nous devons nous retirer de nombreux postes administratifs,* dit le père Boudreault, *notre milieu étudiant restera encore longtemps un champ d'apostolat valable pour quelques-uns ou plusieurs de nos confrères. »* Car les Eudistes avaient encore et toujours la passion de l'éducation.

Par exemple, les Pères avaient l'habitude de prendre leur temps de repos dans un camp de vacances dont le nom exprime assez bien la précarité : *« À la belle étoile »* ! Le camp avait été créé pour permettre aux élèves de profiter des avantages de la nature et des activités de plein air à des prix avantageux, puisque les Pères, toujours bénévolement, avaient la responsabilité de l'organisation et de l'animation de toutes les activités de l'été. Ils devaient donc partager les humbles locaux du camp avec les

"À la belle Étoile"

LE CAMP DE VACANCES
DU
COLLÈGE DES EUDISTES

··· ★ ···

Lac Labelle

CTÉ LABELLE

*Dépliant publicitaire
du camp de vacances.*

élèves qui s'y trouvaient de plus en plus nombreux. Temps de repos… ? Pas sûr !

Cependant, pour raffermir leur vie communautaire et leur permettre de refaire leurs forces de façon plus privée et plus profitable, les Eudistes firent l'acquisition, en 1969, d'un nouveau chalet, près de Montréal, où ils pouvaient profiter ensemble de leurs congés, échanger entre eux et veiller à l'évolution que devait suivre l'institution. Le père Origène Voisine, récemment arrivé de Nouvelle-Écosse, fut alors nommé supérieur de la maison.

Chez les Eudistes, les décisions se prenaient en équipe, même si elles devaient être sanctionnées par l'autorité. Le nouveau provincial de la congrégation, le père Louis-Philippe Pelletier, avait l'esprit ouvert aux changements. Il comprenait la situation précaire du collège et acceptait le plan de son confrère Boudreault : créer une nouvelle structure administrative qui laisserait aux religieux leur rôle pastoral, sans prendre sur leur dos la totalité de la gestion financière. Le processus de sécularisation partielle fut mis en marche. Il devait se poursuivre, se transformer, s'adapter aux situations nouvelles d'un Québec en pleine ébullition.

Le père L.-P. Pelletier

Mais en attendant que ces démarches complexes parviennent à leurs fins, que fait-on ? Comment soutenir une institution ayant autant de dépenses et que les promesses gouvernementales ne signifient aucune aide concrète avant des mois ? Même quand les subventions commencèrent à entrer, c'était souvent avec quatre ou cinq mois de retard, laissant l'administration du collège se débrouiller avec les factures ! Les banques refusaient toujours de prêter aux institutions en attente. Il fallait pourtant payer le corps professoral et tout le personnel de soutien qui ne cessaient de grandir : en septembre 1969, on ne comptait plus que 13 Eudistes, deux de moins que l'année précédente, sur les 50 professeurs du collège. En novembre, le conseil provincial eudiste consentit donc un prêt de 50 000 $: « *Il faut faire un effort en faveur de Rosemont, sans quoi la Province eudiste n'aura plus d'œuvre d'éducation au Québec, alors qu'elle dispose d'un personnel spécialisé dans ce domaine.* » Et puis, les élèves ont besoin de plus de salles de cours, de laboratoires, de rencontres. Ils sont de plus en plus nombreux et de plus en plus désireux d'une éducation de qualité. Le succès du collège devient ironiquement son plus grand adversaire ! Mais il ne ralentit pas les initiatives.

En 1970, un autre grand tournant se produit dans la vie traditionnelle de la maison : l'entrée des filles qui viennent se joindre aux garçons. Traditionnellement, seuls les garçons pouvaient bénéficier d'un enseignement privé au secondaire, à Rosemont. Il est évident que la transformation de l'Institut Cardinal-Léger en cégep signifiait la disparition d'une maison du niveau secondaire public pour les filles. La solution apparaissait obligatoirement chez les Eudistes. Tout un bouleversement, joliment décrit dans deux témoignages, l'un d'un professeur et l'autre d'un parent qui, chacun à sa façon, exprime un enthousiasme commun. Ils méritent qu'on les cite pour revivre l'évolution de l'époque.

« *J'ai encore souvenir de la rentrée. Elles étaient soixante, peut-être soixante-dix filles ; ils étaient six cents, peut-être sept cents garçons, habitués aux airs du collège. Elles avaient perdu leur aisance habituelle, ces grandes filles de quinze et de seize ans, qui allaient d'un pas mal assuré, le cœur à l'étroit, pouffant de rire pour des* » *riens, n'osant regarder ni à droite ni à gauche, de peur de rougir davantage en croisant les regards furtifs des garçons, qui jouaient gauchement et sans conviction aux grands garçons indépendants et désabusés. Un matin inoubliable! Une année inoubliable! Après peu de temps, l'aisance s'est installée dans les classes. Les faux airs sont tombés, les séducteurs ont battu en retraite et chacun et chacune sont redevenus eux-mêmes. Et voilà que les influences sont nées. Des filles, les gars ont découvert la sensibilité, la délicatesse, le raffinement. Des gars, les filles ont appris le franc-parler, la logique, la simplicité…* », écrivait plus tard le professeur.

L'arrivée des filles au Collège.
Une classe de 34 élèves, dont cinq filles.

Et le parent de Rosemont ajoutait: « *Enfin une bonne nouvelle pour le quartier Rosemont! J'aimerais vous dire comme nous sommes heureux de votre décision d'accueillir les jeunes filles dans votre établissement. Votre maison fait preuve d'ouverture et de dynamisme. Au cours des années qui viennent, il me semble essentiel de donner à nos jeunes filles des chances égales. Elles prendront peu à peu la place qui leur revient. Il me semble que le temps est venu de reconnaître que ces femmes de demain sont la source même du dynamisme futur de notre province. Leur offrir des chances égales dans une maison d'enseignement comme la vôtre ne peut que rehausser votre cote (pourtant déjà assez élevée) auprès des parents que nous sommes. Longue vie au Collège des Eudistes.* »

Les deux lettres étaient adressées au directeur, le père Édouard Boudreault, qui avait pris cette décision alors jugée historique.

Toutefois, une situation nouvelle l'obligeait également à d'autres changements importants.

En septembre de la même année, autre branle-bas, chez les religieux, cette fois. Le grand nombre d'élèves inscrits oblige la direction du collège à trouver de nouveaux locaux pour les transformer en classes, en laboratoires, en salles de rencontre ou en nouveaux bureaux. Les Pères, qui avaient résidé sur place depuis la fondation du collège, décident alors de quitter les chambres qu'ils y occupaient pour aller s'installer, tous ensemble, dans un édifice du boulevard de l'Acadie. Leur supérieur, dans cette nouvelle maison d'habitation, sera le père Origène Voisine, qui venait de remplacer le père Martin comme premier assistant du directeur Édouard Boudreault.

Les subventions de Québec finirent par trouver le chemin du collège de façon presque régulière, sans cependant combler tous les besoins. Les parents devaient prendre leurs responsabilités et payer la différence manquante, conscients qu'ils étaient d'offrir à leurs enfants bien plus qu'ils n'auraient reçu ailleurs. Les grosses écoles polyvalentes faisaient peur à plusieurs : trop volumineuses, trop impersonnelles, sans discipline, sans souci de formation, jugeait-on chez ceux qui avaient choisi le secteur privé. Tandis que chez les Eudistes, on favorisait encore la formation morale et chrétienne, autant qu'humaine et sociale, grâce à un encadrement exigeant mais toujours personnalisé.

Le collège tente donc de trouver un nouveau rythme de croisière en attendant de se donner une structure administrative correspondant à ses désirs profonds. Le directeur en profite alors, en juin 1971, pour décrire la situation du collège à l'archevêque de Montréal, Mgr Paul Grégoire. C'est, en fait, un « rapport » dont les grandes lignes méritent d'être retenues.

Le collège a mis de l'avant une politique de désengagement graduel du personnel eudiste, mais rien ne l'oblige à accélérer le

Le cardinal Paul Grégoire

processus. Au contraire. Pour le moment, la survie de l'institution serait compromise si les religieux s'en retiraient trop rapidement. D'autant plus que les Pères croient en la valeur pastorale de leur présence auprès des élèves. Les étudiants sont nombreux : 900 élèves, dont 150 filles, venant principalement de Rosemont, de Saint-Léonard et de Ville d'Anjou, issus de familles d'ouvriers ou de petits fonctionnaires. Les parents prennent une part active à l'éducation de leurs enfants, ils s'engagent personnellement et suivent de près l'évolution de la situation scolaire environnante.

S'ils se sont prononcés en faveur d'un statut d'institution privée pour leur collège, c'est qu'ils espèrent y voir fleurir un certain nombre de valeurs qui leur tiennent à cœur. Ils craignent l'anonymat des grandes polyvalentes, ils veulent à tout prix éviter la disparition des traditions morales et religieuses qui font partie de leur patrimoine personnel et collectif. Également, ils s'inquiètent du pouvoir des grandes centrales syndicales dont les exigences et les tendances nouvelles commençaient à susciter certaines situations de conflits. D'autant plus que ces centrales militaient en faveur de l'enseignement public, et donc inévitablement contre le secteur privé que eux, les parents, favorisaient.

La syndicalisation de tout le milieu de l'éducation paraissait, à plusieurs, une sérieuse menace. Notons que les professeurs du collège étaient eux aussi syndiqués. Ils étaient membres d'un syndicat qui ne regroupait que le personnel des maisons d'enseignement privé (SPE), lui-même affilié à la Centrale des syndicats nationaux (CSN). Alors, selon la tendance qui semblait vouloir se concrétiser, si tous les syndicats d'enseignants de la

CSN se fusionnaient dans une seule unité de négociation, qu'adviendrait-il de ces valeurs qu'avaient privilégiées les Eudistes tout au long de leur engagement en éducation? Le père Boudreault, qui avait toujours entretenu de bonnes relations avec son personnel syndiqué, espérait que cette éventualité appréhendée ne soit pas, selon ses mots, *« de nature à refroidir singulièrement l'enthousiasme des parents à notre égard »*, écrivait-il à Mgr Grégoire.

Autre inquiétude du directeur : l'institution est face à l'État qui, selon ses mots, *« a tendance à niveler et à uniformiser »*. Ceci va à l'encontre de l'option des Eudistes en faveur de l'enseignement privé pour une éducation personnalisée : ils veulent offrir aux parents et aux enfants une institution originale, avec sa propre identité, pareille à aucune autre. Il sait que *« toute tentative d'un organisme à se distinguer des autres crée un grincement dans les engrenages des mécanismes de l'État »*. On voit le sentiment que le directeur entretient face aux nouvelles structures scolaires récemment mises sur pied.

Le personnel du Collège des Eudistes compte alors 50 personnes, dont 13 sont Eudistes, répartis dans l'enseignement et dans l'administration. La communauté est toujours propriétaire du terrain et de l'édifice. Même si les Pères prennent leurs distances du collège, de façon continue, depuis déjà presque une dizaine d'années, ils n'entendent pas mettre « leur » collège en vente : la petite équipe actuelle suffit à la transmission des valeurs traditionnelles de la pensée eudiste. Les personnes présentes y ont engagé leur vie. De plus, à ce moment précis de son histoire, il n'est pas certain que le départ des Eudistes ne mettrait pas sérieusement en danger la vie même du collège. Enfin, on est convaincu de l'apport nécessaire des Eudistes au profit de la population environnante.

Pour éviter sa dépersonnalisation, il devient évident à l'esprit du directeur que le collège doit mettre l'accent sur quatre lignes de force :

a) entrer dans le courant vital de l'Église de Montréal ;

b) répondre à « l'intérêt public » du milieu ;

c) intégrer le personnel, les professeurs et les étudiants dans un projet commun ;

d) veiller à la vitalité profonde de la maison.

Le père Boudreault exprime sa confiance dans la survie du collège en y versant une forte volonté d'engagement vers l'avenir, tenant en même temps la main du passé. En d'autres termes, le collège devra s'intégrer encore plus profondément dans la réalité environnante du moment, tout en demeurant fidèle à ses propres valeurs. Pour ce faire, il importe qu'il soit confessionnel, c'est-à-dire fidèle au courant vital de l'Église de Montréal ; qu'il soit d'intérêt public, c'est-à-dire soucieux d'insérer la population, notamment les parents, à sa destinée ; et, finalement, qu'il demeure privé, c'est-à-dire capable d'intégrer son personnel et ses étudiants, formant la totalité de l'institution, dans son projet de vie. Ce qu'il désire et espère, c'est *« l'intégration totale du Collège des Eudistes dans le milieu qu'il est appelé à servir »*.

Au moment où son directeur écrivait ces mots, le collège reprenait un second souffle. On ne repart pas à zéro, loin de là ! Les élèves, plus près en âge les uns des autres, forment une nouvelle cohérence ; les « nouveaux » apprennent des « anciens » l'esprit qui a fait la force passée de l'institution ; les professeurs forment une famille plus forte parce que plus unifiée. On se prépare maintenant à garantir l'avenir.

Depuis ses premiers jours, cependant, on a vu que le Collège des Eudistes n'a jamais eu la vie facile. Sa deuxième naissance, sa transformation radicale ne pourra, elle non plus, se faire dans la facilité. Les changements sont trop grands, trop importants, pour ne pas susciter des remous qui peuvent sérieusement affecter cet avenir fragile.

– INTERMÈDE – | *L'ÉDUCATION EN ÉBULLITION*

Le Québec vivait depuis des décennies dans l'alternance politique entre « les bleus » et « les rouges ». Jean Lesage avait fait oublier, pensait-il, le style politique de Maurice Duplessis ; mais Daniel Johnson est venu lui rappeler que l'Union nationale était encore bien vivante.

Les nombreux changements que le gouvernement libéral avait suscités dans la société québécoise en avaient bousculé plusieurs, dont un bon nombre s'était senti agressé, entre autres choses, par le mouvement de laïcisation qui soufflait sur les institutions traditionnelles. Les uns applaudissaient aux transformations ; d'autres exprimaient leurs craintes et attendaient le moment de pouvoir réagir. Le gouvernement de Jean Lesage n'avait pas imaginé qu'avec tout le renouveau qu'il s'acharnait à offrir au Québec, l'Union nationale pourrait lui ravir le pouvoir.

C'est pourtant ce qui se produisit en 1966, alors que « les bleus » revenaient en force à Québec sous la direction de Daniel Johnson. C'est lui, comme premier ministre du Québec, qui accueillera le général de Gaulle à l'Exposition internationale de Montréal en 1967, l'accompagnera tout le long du Chemin du Roy jusqu'au balcon de l'hôtel de ville où le président français décida de proclamer, au Canada entier, son sentiment personnel sur l'avenir du Québec… libre !

L'Expo 67, à Montréal.

Mais trois ans plus tard, l'Union nationale avait perdu ses chefs et les troupes n'avaient plus la force de poursuivre les réformes amorcées par les deux gouvernements précédents. En 1970, le jeune Robert Bourassa, à la tête du Parti libéral, revenait au pouvoir avec l'intention ferme de reprendre le programme que ses prédécesseurs politiques avaient dressé avant lui.

L'évocation de l'année 1970 et de celles qui la suivirent de près est presque exclusivement politique : les événements d'octobre et l'émoi qu'ils ont causé dans la population ont été marquants. Les positions se radicalisent : souverainistes et fédéralistes se font face, un peu comme des frères ennemis devant partager la même terre, la même maison. La loi des mesures de guerre laisse des traces, surtout à cause de ces centaines de Québécois, la plupart Montréalais, qui ont été arrêtés et dont on a suspendu les droits de liberté. Il est alors normal que les grands débats sociaux, aussi importants soient-ils que ceux de l'éducation et de ses structures, passent au second plan.

La rue des Récollets à Montréal-nord, envahie par les forces de l'ordre lors des Événements d'Octobre 1970.

Il a fallu du temps avant de retrouver une certaine sérénité. La tension politique était présente à divers niveaux d'échanges et dans divers secteurs d'activités. En éducation, les applications de la réforme étaient exigeantes, pour le milieu scolaire comme pour le gouvernement. Entre 1972 et 1976 seulement, quatre ministres se succédèrent à la tête du Ministère : François Cloutier pendant trois ans, Jérôme Choquette, Raymond Garneau et Jean Bienvenue la dernière année.

Puis, nouveau bouleversement : en 1976, à la grande surprise du gouvernement Bourassa et d'une grande partie de la population, le Parti québécois prend le pouvoir. Une nouvelle effervescence se fait jour et atteint son sommet lors du référendum de 1980. L'ensemble du Québec vibra de toutes les fibres de son être fragilisé. Le gouvernement, après son échec référendaire, soucieux de préserver sa tendance sociale-démocrate, entendait mettre une insistance plus forte sur l'éducation de la population. Deux ministres importants dans le contexte politique d'alors tenteront d'y faire leur marque : Jacques-Yvan Morin, suivi de Camille Laurin et, pour de brefs passages, Yves Bérubé et François Gendron.

C'est le ministre Jacques-Yvan Morin qui lança, dans le public, un Livre vert qui voulait convier la population à une grande réflexion sur le projet éducatif québécois. Il en proposait une finalité, orientée en fonction de l'élève : « Assurer l'épanouissement de sa personnalité dans les domaines de la connaissance, de la volonté et de la sensibilité, ainsi que l'acquisition de l'autonomie, du sens des responsabilités, de l'engagement, des valeurs morales. » On verra plus loin que le Collège des Eudistes pouvait facilement inclure ce projet global dans son propre programme.

Nouvelle étape de la réforme commencée sous le ministre Paul Gérin-Lajoie. Le système évolue. Les institutions doivent s'adapter de leur mieux, avec la préoccupation qu'aura chacune de conserver son identité et sa finalité propres.

La vie poursuivait quand même son cours ; la « révolution tranquille » n'avait pas fini de transformer les secteurs sociaux qu'elle avait particulièrement touchés. L'Église se retirait, petit à petit, des milieux privilégiés où elle avait gardé une main mise depuis, faut-il le dire, les débuts de la colonie. La société cléricale traditionnelle se laïcisait rapidement, sans cependant trop de remous ni d'affrontements majeurs entre défenseurs des traditions anciennes et tenants des idées nouvelles. Le Mouvement laïque de langue française tentait d'accélérer le mouvement de laïcisation et de l'étendre à tous les secteurs d'activités. Mais il rencontrait des résistances : le besoin de changement, ressenti par l'immense majorité des gens, n'entraînait pas nécessairement avec lui le rejet global de toutes valeurs du passé. L'évolution, oui ; la brisure totale, non. Les idées à la mode faisaient leur chemin, mais en fidélité à un ensemble de valeurs qui avaient profondément marqué le bon peuple canadien français et que plusieurs favorisaient encore. Le monde de l'éducation n'échappait évidemment pas à ce bouillonnement social.

Le Collège des Eudistes devait donc, comme toute maison d'enseignement, à cette époque plus qu'à toute autre, définir son identité dans le respect de ce contexte de fidélité et d'ouverture. Mais comment conserver une relation véritable avec la vocation originale de ses fondateurs, eux-mêmes liés à une mission d'éducateurs chrétiens, et les exigences d'un nouvel environnement qui prenait de plus en plus ses distances avec son passé religieux ? De plus, la coexistence d'un secteur privé et d'un secteur public offrait aux étudiants et aux parents une gamme de formules nouvelles où il leur fallait faire un choix. Chaque collège pouvait privilégier telle matière, telle valeur, telle particularité pour se donner une personnalité particulière.

Qu'allait donc devenir le Collège des Eudistes, qui n'avait pas encore 20 ans, qui avait déjà dû se transformer au milieu de sa courte existence, qui avait perdu presque tout son personnel des débuts et qui devait trouver sa voie à l'intérieur du plus grand méli-mélo culturel et sociopolitique que le Québec n'avait jamais connu ?

TROISIÈME PARTIE

Des Eudistes à Jean-Eudes

UN CARACTÈRE À PRÉSERVER

Le collège avait, d'une certaine façon, changé de cap pour adapter sa mission à un contexte sociologique nouveau, mais son état de santé économique demeurait tout aussi précaire. On savait bien que l'avenir de l'institution dépendait de la qualité d'enseignement et de l'encadrement qu'elle pourrait offrir à ses élèves. Et le niveau recherché ne dépendait pas uniquement du contenu pédagogique : la direction demeurait convaincue de la nécessité d'offrir une éducation complète, fidèle à un système de valeurs adapté à des jeunes en pleine évolution. Il fallait leur proposer un cheminement vers le monde adulte dans un cadre scolaire totalement neuf, avec des programmes pédagogiques inédits, baignant dans des structures gouvernementales tout aussi nouvelles.

Recteur du collège depuis le départ du père Clément Légaré, en 1968, le père Édouard Boudreault avait dû faire face à des difficultés financières énormes : les immenses changements qui se produisaient en si peu de temps dans la vie du collège se répercutaient durement sur ses finances. Homme sage et de grand jugement, respecté de ses collègues comme de ses confrères, reconnu pour ses qualités exceptionnelles d'administrateur, le père Boudreault avait déjà dû transformer en presque totalité la structure antérieure du collège ; il devait, dans le respect des personnes en place, protéger les valeurs inhérentes à l'histoire des Eudistes dans un cadre nouveau. Il devait pour cela inventer des moyens originaux de survie dans un monde en ébullition.

Il se rappelle : « *Les professeurs ont été d'une générosité formidable…* » C'est que l'engagement du gouvernement dans le partage des coûts des nouvelles institutions s'établissait selon une proportion de dépenses pour chaque élève. Mais personne ne pouvait évaluer ces dépenses avant la signature des conventions collectives avec le personnel ! Et la banque n'accordait qu'une très petite marge de crédit à ses clients. Pire encore, les ententes avec la Commission des écoles catholiques de Montréal, qui devait rembourser le collège pour les locaux offerts aux élèves de secondaire V, n'étaient pas respectées dans les échéances prévues. Chaque jour, le directeur se demandait comment affronter les obligations du lendemain. Dans un geste de totale générosité, les religieux offrirent alors de remettre leur chèque à la direction du collège, aussi longtemps que le gouvernement n'aurait pas trouvé une façon plus expéditive de répondre à ses engagements… Le recteur fut impressionné de la magnanimité de ses professeurs et il tenta de les rassurer. Il ne toucherait pas à leur salaire, mais s'ils voulaient, à chaque paie, retarder le moment où ils iraient déposer leur chèque, cela permettrait au collège, dans l'entre-temps, de recevoir l'argent tant espéré de Québec…

Un jour, conscient qu'il ne pouvait plus exiger autant de sacrifices de son personnel, le père Boudreault se résolut à quémander un emprunt au conseil provincial qu'il présidait autrefois. Démarche gênante, laborieuse, avec inspection des comptes du collège et vérification du budget de la communauté, pour enfin recevoir la réponse finale : un don de 50 000 $ de la part des Eudistes, ses confrères. « *Il faut faire un effort en faveur de Rosemont,* dit-on au conseil provincial ; *sans quoi la province eudiste n'aura plus d'œuvre d'éducation au Québec alors qu'elle dispose d'un personnel spécialisé dans ce domaine. »*

Le financement du collège demeurait donc une préoccupation constante. La participation gouvernementale – réduite à 80 % du coût standard d'un élève – paraissait trop faible pour répondre aux besoins; et celle des parents – de 20 % – devait respecter leurs moyens souvent limités. L'ensemble des services et la qualité du personnel que l'on voulait conserver dans le nouveau collège engendraient des frais qu'on ne pouvait d'aucune façon réduire. Quoi faire?

Un jour, le père Boudreault eut une idée qui non seulement apporta une certaine solution aux problèmes du moment, mais qui s'est perpétuée jusqu'à nos jours avec le même succès: il demanda aux parents de consentir au collège un prêt sans intérêt de 1 000 dollars chacun… Ce qui se concrétisa en une entrée de fonds exceptionnelle et servit d'assises à une relative stabilité financière du Collège des Eudistes. La direction se sentait capable de faire face à ses obligations; la dette ne lui faisait plus peur! Le directeur avait fait la preuve qu'un collège privé, de niveau secondaire, pouvait se prendre en main et librement jouer son rôle au service de la population montréalaise. D'autant plus que plusieurs parents «prêteurs» laissaient au collège, à la fin des études de leur enfant, la somme d'argent versée cinq ans plus tôt et qui servait si bien la qualité d'études qu'ils désiraient pour Rosemont.

Au-delà des problèmes d'argent, le recteur devait protéger le caractère propre de la maison. Pour survivre dans le nouvel univers scolaire, le Collège des Eudistes devait offrir une personnalité bien à lui, fidèle à son passé, lié au présent et tourné vers l'avenir. Un nouveau souci hantait aussi le directeur: celui de remettre à une direction plus jeune le soin de faire face à des défis que les générations antérieures n'avaient même pas soupçonnés.

À l'automne 1972, le père Boudreault décida qu'il devait passer la main à un confrère qu'il considérerait en affinité avec cette responsabilité nouvelle. Mais où trouver un successeur capable de relever tant de nouveaux défis dans un monde inconnu, bouleversé et parfois menaçant ?

Les autorités eudistes hésitèrent avant de répondre au désir du père Boudreault : le conseil provincial décida que *« les postes administratifs du collège seront tous mis à l'étude en vue d'une éventuelle restructuration »*. Au début décembre, le poste de directeur n'était toujours pas comblé.

Le 9 décembre, un autre conseil provincial franchit une timide étape : il décide que *« le père Boudreault ne sera pas remplacé, du moins pour un certain temps, à titre d'expérience »*. Pour accélérer le processus, trois semaines plus tard, le père provincial nomme, au poste de *« directeur des études et directeur général du collège »*, un jeune professeur spécialiste de l'Écriture sainte, enseignant en Nouvelle-Écosse, avec avis de *« ne pas aller trop vite dans le changement des structures du collège »*. Ce jeune Eudiste, c'était le père Origène Voisine, alors professeur de religion en secondaire V et supérieur de la résidence des Pères, boulevard de l'Acadie. Il fut un artisan important de l'évolution du collège en l'institution de haut niveau qu'il est aujourd'hui devenu.

ORIGÈNE VOISINE

La survie financière du collège s'était révélée réalisable. Toutefois, il fallait bien admettre que son projet d'avenir demeurait fragile : une dette d'un million, en 1972, faisait évidemment peur à tout administrateur lucide. Les années précédentes avaient été celles des assises à poser ; il fallait maintenant passer à l'étape suivante, qui consistait en l'édification d'une maison d'enseignement autonome, du plus haut niveau éducatif, aux qualités pédagogiques inattaquables, avec souci de formation complète des jeunes qui s'y trouveraient.

Quand arrive le père Origène Voisine à la direction du collège, il se rend bien compte qu'il aura à créer des modèles nouveaux. Il veut à tout prix conserver au collège son statut d'institution de niveau supérieur, où l'on veillerait au développement intégral de l'élève, selon la notion d'éducation véhiculée par la tradition eudiste. Pour y parvenir, il fallait des moyens renouvelés et des initiatives audacieuses.

Il commence par le plus simple et peut-être le plus exigeant défi quoti-

Le père Origène Voisine

dien pour des adolescents : le respect des lieux ! Obligation de garder tous les locaux du collège dans un état de propreté irréprochable ! Le nouveau directeur n'acceptera aucun papier qui traîne, aucune saleté sur les planchers, aucune marque sur les murs. Plus encore : il n'acceptera pas de laisser-aller dans l'habillement des élèves. Pour lui, l'environnement sert à créer le climat approprié à l'éducation : le respect des lieux signifie souci des personnes et des biens communs, partage d'espaces au coup d'œil propice au travail. C'est un premier pas dans l'orientation que veut donner au collège le nouveau directeur : faire plus et mieux que quiconque, même dans les détails de la vie, avec les moyens disponibles, si minces soient-ils.

En 1973, le père Voisine avait été remplacé comme supérieur de la maison des Pères ; il peut dès lors consacrer toutes ses énergies à la direction et au développement du collège. Son parcours antérieur, principalement l'étude de l'Écriture sainte en Europe, l'avait préparé à scruter les questions dans leurs fondements. Il avait enseigné dans un milieu anglophone en Nouvelle-Écosse, et s'était frotté aux sciences de l'administration. De caractère jovial, sachant entrer facilement en relation avec ses interlocuteurs et ses collaborateurs, débordant d'enthousiasme, il avait en tête et en main les outils nécessaires à la mise sur pied de nouveaux projets.

Il allait donc veiller aux diverses facettes de l'éducation des élèves : la qualité du personnel enseignant et des cours offerts, la variété des soutiens culturels et sportifs, le respect de l'environnement et, par-dessus tout, la collaboration intense entre les diverses équipes de travail et l'ensemble des jeunes.

Parmi les divers desseins qu'il avait en tête, il s'en trouvait un qui paraissait peut-être excessif bien qu'essentiel au collège : le père Voisine souhaitait pouvoir offrir aux élèves, sur place, un grand gymnase qui leur permettrait non seulement de pratiquer les sports qu'ils affectionnent mais surtout de se former aux valeurs humaines du sport d'équipe. Le football et le hockey étaient alors les sports les plus populaires, même si les professeurs devaient se lever, la nuit, pour arroser la patinoire, malgré les cours à donner et toutes les autres attentes des élèves qui étaient bien choyés par leurs maîtres. Les bonnes intentions devaient s'appuyer sur des installations matérielles vraiment minimales.

De fait, le collège ne répondait même pas, à l'époque, aux exigences que le ministère de l'Éducation avait posées pour les institutions privées concernant les espaces réservés aux activités sportives. Mais comment s'offrir un tel endroit de rêve quand on doit porter une dette d'un million de dollars et des besoins nombreux d'équipements pédagogiques ? Ni le nouveau collège voisin ni la Commission scolaire ne voulaient s'impliquer dans un projet commun. Un conseiller municipal local aurait bien aimé s'y intéresser, sauf qu'il ne pouvait, à lui seul, convaincre tous ses collègues.

Voilà qu'un jour se profile une hypothèse de solution que personne n'avait vu venir et que le père Voisine n'allait pas laisser passer sans en profiter : la tenue des Jeux olympiques à Montréal, en 1976. Cet événement précipita la réalisation d'une foule de projets que la Ville de Montréal hésitait à exécuter, malgré son désir de les intégrer dans l'évolution accélérée de son histoire.

Après l'immense succès de l'Exposition internationale de 1967, il devenait possible au maire Jean Drapeau de convaincre les dirigeants de la Régie internationale olympique (RIO) que Montréal pouvait offrir au monde des Jeux mémorables. Mais Montréal, pas plus que le Québec ou même le Canada, n'avait de tradition véritable dans la pratique des diverses disciplines olympiques. Et si Montréal recevait les plus grands athlètes du monde, les Québécois devaient pouvoir se préparer convenablement pour accueillir et affronter cette élite sportive. Le maire voulait offrir aux athlètes montréalais un lieu d'entraînement de haut niveau, contenant les équipements les plus modernes. On cherchait un grand espace, assez bien situé par rapport au Parc olympique, rue Sherbrooke, entre le boulevard Pie IX et la rue Viau. Il fallait trouver ou construire des installations sportives adéquates. Rosemont possédait cet espace, mais il fallait imaginer un « plan social » qui plairait à tous. Un tel emplacement permettait au maire de faire plaisir à la population de son propre quartier, puisqu'il habitait un secteur de Rosemont qu'on appelait alors Cité-Jardin. Au lendemain des Jeux, tout un quartier pourrait profiter d'installations exceptionnelles. Il fallait faire vite pour rapidement répondre aux exigences de la RIO comme des fédérations sportives.

Or, le collège disposait d'un terrain, juste à côté, au coin de la 13ᵉ Avenue, entre le boulevard Rosemont et la rue de Bellechasse, où le père Voisine avait imaginé construire un jour un gymnase pour ses élèves… Le projet olympique ne pouvait mieux tomber : le collège était prêt à s'y engager.

Le centre Étienne-Desmarteau en 1976

Origène Voisine engagea donc la négociation avec les représentants de la Ville. Plutôt que de vendre le terrain pour une somme d'argent, aussi intéressante soit-elle, le directeur trouva une façon de mettre le centre sportif au service du collège dans les années à venir, et ainsi de bénéficier, à long terme, d'avantages qu'il ne pouvait espérer sans aide extérieure au collège. La négociation se fit dans un bon climat de partage, vu la proximité de l'échéance. Le directeur demanda et obtint de ses vis-à-vis municipaux l'ouverture du Centre, durant la journée, à tous les élèves du collège. La Ville offrait donc au collège l'utilisation des locaux qui lui appartiendraient, selon une évaluation de 60 000 $ par année, pour une période de 20 ans. Sans qu'il lui en coûte un sou, le collège se dotait alors d'un complexe sportif ultramoderne, nommé le Centre Étienne-Desmarteau, qu'il n'aurait jamais eu les moyens ni de construire ni d'entretenir, dans un contexte de collaboration avec la Ville, pour la plus grande joie des élèves et de tout le quartier, car le soir, toute la population de Rosemont pouvait à son tour profiter des équipements qui lui étaient offerts. Coût de la construction : 13,5 millions de dollars.

UNE NOUVELLE ÉQUIPE

En même temps, le nouveau directeur poursuivait un plan de structuration interne du collège, qui lui permettrait de se préoccuper de sa mission essentielle tout en laissant à d'autres le soin de prendre en charge les secteurs secondaires. C'est ainsi qu'il donna à des entreprises de l'extérieur – en sous-traitance, bien avant que les grandes entreprises ne s'engagent dans cette stratégie de gestion – des contrats d'entretien du collège et de la cantine, ne se gardant que la responsabilité de surveillance de ces services spécialisés, sans lien véritable avec la pédagogie ou l'éducation proprement dite.

Le plan d'accroissement et d'éducation intégrale, tel que dessiné par le père Boudreault, était engagé sur de bonnes pistes : le collège continuait son ascension vers les objectifs qu'il voulait atteindre. Le nombre des élèves grandissait ; il fallait régulièrement réaménager les locaux, en construire de nouveaux, garder les élèves dans leur contexte d'études au milieu de chantiers de construction pas toujours faciles à supporter. Par exemple, la construction de la partie arrière du collège devra s'étendre sur une période de 14 mois ! Il en fallait de la patience, autant pour les professeurs que pour les élèves !

Dans le but d'accompagner efficacement, et individuellement, les élèves dans leur développement

Bulletin d'accompagnement des dons

117

Le conseil d'administration de la Fondation Jean-Eudes en 1979.

intégral, le père Voisine, conscient des exigences et des diverses facettes de ses tâches, se donna une structure de direction plus apte à soutenir ses efforts : il nomma des adjoints au directeur, un aux études et bientôt un autre à la vie scolaire, pour compléter le travail des responsables de l'enseignement. Plus tard, un adjoint au développement sportif fit partie de l'équipe, puis un autre au développement socioculturel. Et on franchit une autre étape d'importance : mise sur pied, en 1973, d'un système d'animateurs auprès des élèves, ce qui fit vite l'envie des directions (et des élèves) de bien d'autres collèges. Bientôt on vit apparaître les soirées Méritas, qui récompensaient l'excellence scolaire ; plus tard, en 1979, création de la Fondation Jean-Eudes, qui permettait à des jeunes de familles moins favorisées de s'inscrire et d'étudier au collège pour répondre aux plus profonds désirs de leurs parents. Toujours conscient de l'évolution rapide du monde de l'électronique, le directeur posa, en 1982, les fondements d'un studio d'informatique qui n'a cessé de grandir et dépassa longtemps tous les systèmes des collèges du Québec.

Le père Voisine conservait aussi le souci du développement des forces spirituelles des jeunes, non seulement par la qualité des cours de religion intégrés au programme, mais également par des initiatives originales, animées par les professeurs eudistes et soutenues par l'ensemble de tout le corps professoral. À ce chapitre, le collège connut de belles expériences qu'il vaut toujours la peine de noter, ne serait-ce que pour souligner les bons souvenirs que des anciens en conservent et pour illustrer l'originalité des méthodes employées.

IKTUS

Le Collège des Eudistes persistait dans sa volonté d'offrir à ses élèves un ensemble de valeurs choisies et privilégiées, toujours dans une perspective inaltérable de fidélité au passé et d'adaptation au présent. Ce qui supposait donc la capacité de poursuivre une évolution de la pensée dans le respect de la tradition. Au milieu des années 70, il est évident que la question religieuse en était une qui pouvait le plus préoccuper non seulement la direction du collège mais également ses professeurs ainsi que ses élèves. Le Concile Vatican II avait ouvert plusieurs fenêtres de l'antique institution ecclésiale sérieusement secouée par le bouillonnement de la société nouvelle : plusieurs catholiques, fervents ou distants, applaudirent à ce vent de renouveau jugé très approprié.

Le camp de pastorale IKTUS, dans les Laurentides.

Les mouvements de libération sociale et intellectuelle que le Québec avait expérimentés plus que quiconque en Amérique avaient déjà fortement marginalisé l'influence de l'Église. C'est dire que la proposition du message évangélique ne pouvait plus se faire comme il y avait seulement dix ans. Il fallait donc que l'Église trouve un langage nouveau pour transmettre les valeurs chrétiennes à une société québécoise, jeunes générations en tête, qui décidait, un peu plus chaque jour, de prendre ses distances de l'institution qui devait incarner ces valeurs traditionnelles. Le milieu ambiant cédait de plus en plus aux tendances d'indifférence religieuse et, parfois anticléricales.

Au Collège des Eudistes, les cours de religion se donnaient alors à tous les niveaux de classes. Même dans un contexte de remise en question, ils étaient encore assez bien acceptés des élèves. Il ne faut pas oublier que les parents du quartier avaient soutenu la demande d'un collège privé confessionnel pour justement permettre l'enseignement des valeurs chrétiennes à leurs enfants. Le défi demeurait grand pour les professeurs : l'enseignement traditionnel de la religion s'accordait mal à l'évolution globale de la société québécoise, laquelle s'éloignait, ordinairement sans agressivité mais avec assez de célérité, de la pratique religieuse associée à l'Église catholique.

Le collège réinventa alors certains modes traditionnels de transmission de la foi : il offrit aux élèves la possibilité de réfléchir sur leurs interrogations religieuses, ou simplement spirituelles et humaines, dans un cadre « déscolarisé », dans un climat de détente, en situation de dialogue, les fins de semaine, à la campagne, en petits groupes d'une quinzaine de garçons avec leur animateur de pastorale. C'est le concept qui a donné naissance au camp **IKTUS**, situé à Rivière Rouge, près de Brébeuf, entre Saint-Jovite et Huberdeau, à quelque 130 kilomètres de Montréal, au cœur des Laurentides. Le nom paraît étrange et même étranger : en fait, il rappelle, en grec, les initiales d'une référence chrétienne des trois premiers siècles, aux temps des catacombes : *Jésus, Christ, Fils de Dieu, Sauveur*. Pour bien signifier qu'on voulait reformuler les questions dans leur sens premier et se tourner résolument vers l'essentiel.

Dès le printemps, chaque fin de semaine, une quinzaine d'élèves se rendaient au camp IKTUS pour échanger, entre eux et avec un animateur, sur les questions de foi qu'ils voulaient comprendre ou approfondir, dans un climat favorable à la réflexion. Le dialogue est franc et direct : chacun pouvait s'exprimer librement et recevoir une écoute généreuse de ceux qui l'entouraient. Les pères Ferdinand Desrosiers, J.-M. Dumont et Eymard Duguay ont accepté de passer tous leurs jours de congé, pourtant bien mérités, avec des étudiants qui leur faisaient entièrement confiance. En une seule année, ils furent 350 à profiter de ces moments de partage.

Puis, certains d'entre eux cherchèrent davantage. Ceux-là choisirent de faire des « stages liturgiques » à Saint-Benoît-du-Lac, au bord du lac Memphrémagog, pour répondre aux attentes de leur vie intérieure plus active. Et comme il se devait, l'approfondissement de la foi a porté des fruits de diverses façons. En 1976, les élèves fondèrent le club « **Jeunesse du monde** » pour venir en aide aux personnes plus démunies du quartier ; pour le secours au tiers-monde, on créa le « **Baril de la brousse** », qui permit d'acheter des médicaments et de les expédier à un dispensaire du Rwanda. Puis, ce fut une collaboration avec les Petites sœurs des pauvres, pour venir en aide aux aînés ; et comme *« charité bien ordonnée commence par soi-même »*, on pensa aussi au collège et on ramassa les fonds d'une bourse en faveur d'élèves en situation financière difficile. Les parents étaient heureux de participer à ces diverses activités parce qu'elles représentaient l'essentiel de la religion chrétienne qu'ils voulaient transmettre à leurs enfants : l'amour concret du prochain, c'est-à-dire de la personne dans le besoin. Même les Pères s'engageaient avec leur argent personnel. L'un des animateurs disait : *« Si, dans une école comme la nôtre, on n'aide pas les élèves à se mouiller dans des projets qui dérangent, on laisse de côté un aspect fondamental de la vie de l'adolescent chrétien. »*

L'animation pastorale a évolué au cours des ans. Si la chapelle a dû se transformer en bibliothèque, l'**Agora**, grand lieu de rassemblement des élèves dans leurs temps libres, offre maintenant un local où un aumônier, assisté d'animateurs laïcs, peut facilement rencontrer ceux et celles qui veulent échanger entre eux, bâtir des projets d'aide ou simplement se ressourcer pour faire s'épanouir leur propre vie spirituelle. Évidemment, ces recherches personnelles empruntent une foule de chemins : le collège compte, en ce début du XXIᵉ siècle, des élèves provenant de 45 origines ethniques différentes. Ce qui signifie évidemment des démarches de foi variées et bien différentes de celles d'autrefois, du temps où le Québec connaissait la grande unanimité de souche et de religion.

Des noms demeurent dans la mémoire des anciens : à ceux déjà mentionnés, ajoutons les noms des pères Victor Léger, Michel Savard, Jean-Jacques Dionne, Jacques Tardif, Laurent

Monsieur Victorien Tardif

Méthot, premier direc-
teur adjoint aux études,
Jean Héroux, son assis-
tant, qui fut ensuite responsable du poste pendant
de nombreuses années, et
Victorien Tardif, adjoint
au directeur des élèves,
puis de la pastorale et
directeur de la discipline :
il a vécu 38 ans au collège
et il a, encore aujour-

Les animateurs de niveaux

d'hui, une foule de souvenirs de ces temps merveilleux où le Collège des Eudistes se donnait une figure nouvelle. Très impliqué à
plusieurs niveaux d'activités, M. Tardif fut celui qui, à titre de président du syndicat des professeurs, signa, avec le père Boudreault
la première convention collective du collège.

Petit à petit, les professeurs religieux quittaient le collège et ne
pouvaient être remplacés. Mais la direction s'assurait que l'esprit
qui les animait demeurait bien vivant. Autour du Collège de
Rosemont, trois grandes institutions, liées à la vie de Montréal,
étaient disparues : le Collège Sainte-Marie, le Collège Saint-
Ignace et l'externat classique Sainte-Croix avaient fermé leurs
portes, ne pouvant répondre aux attentes nouvelles du projet
éducatif québécois. Les survivants devaient se préparer à de durs
affrontements et à une poursuite inconditionnelle de l'excellence.

LA RÉVOLUTION DES CONCENTRATIONS

Le Collège des Eudistes accueillait de plus en plus d'élèves
provenant de partout à Montréal. Filles et garçons venaient y
chercher une éducation bien caractérisée, d'un niveau supérieur,
même s'il n'existait que depuis une dizaine d'années, et pendant
que le Québec vivait un bouleversement de ses valeurs. Un

concept pédagogique fit sa marque plus que tout autre pour marquer l'identification et l'originalité de son programme : ce fut le système des « concentrations » que mirent sur pied le père Voisine et son équipe, à partir du milieu des années 80.

Comme toutes les institutions privées de l'époque, le collège offrait un programme d'études obligatoire, tel que proposé par le ministère de l'Éducation du Québec. D'une certaine façon, tous les collèges présentaient à leurs élèves un programme unique, mais supporté par des équipes de professeurs et des encadrements différents. Dans un tel contexte de programme obligatoire, il devenait difficile de transmettre une éducation reliée à un projet éducatif particulier, comme le désiraient la direction et le corps professoral des Eudistes.

Le père Voisine eut un jour une intuition qui dépassait le cadre traditionnel et obligatoire d'un programme d'études fabriqué pour tous les élèves du secondaire. Il voulait éviter la même éducation pour tous, mais donner à chacun la meilleure éducation qu'il puisse s'approprier. Pour y parvenir, il fallait, évidemment, une équipe de professeurs, d'animateurs et de collaborateurs de très haut niveau. Il espérait offrir un moyen de permettre aux élèves de se développer personnellement dans des secteurs parallèles et complémentaires à leurs programmes d'études.

Première étape : transformation de la structure administrative. Deux adjoints au directeur seront responsables de la qualité de l'enseignement, et un nouvel adjoint – puis bientôt un autre – aura la responsabilité de la vie scolaire. Ensemble, directeur et adjoints ont le souci de préserver et d'intensifier la qualité globale de l'éducation offerte, tant dans le programme d'enseignement du Ministère que dans des études spécialisées qui seraient propres au collège. La direction du collège voulut alors imaginer des démarches pédagogiques novatrices qui permettraient à l'élève d'approfondir ses talents divers et ses aptitudes personnelles à l'intérieur même du cadre de ses études. L'élève pourrait donc faire un choix en complémentarité avec le programme d'études obligatoire. D'une part, il suivrait un ensemble de cours imposés ; d'autre part, il pourrait choisir, dans un ensemble proposé, d'autres cours et de nouvelles activités qui correspondraient davantage à sa propre personnalité.

Ces disciplines, aussi variées soient-elles et parfois même éloignées des matières traditionnelles, ne seraient pas des à-côtés secondaires que l'on pourrait suivre en dilettante. Non, pas du tout. Des notes seraient attribuées pour chacune des options choisies et intégrées dans le programme individuel global de l'élève. Le choix deviendrait, avec les années, assez vaste pour permettre à chacun et à chacune de s'épanouir personnellement et totalement dans le cadre même du programme du collège.

Pour mieux répondre aux défis que la société de demain lui poserait, l'élève pouvait donc, par une formation audacieuse mais bien équilibrée, atteindre divers objectifs clairement définis. Il pourrait, par exemple, s'approprier les technologies de pointe dans un monde informatique en constante évolution ; il pourrait acquérir des connaissances sur les problèmes écologiques et la sauvegarde de la qualité de vie sur terre ; il pourrait travailler à bâtir un humanisme fondé sur les valeurs universelles et sur l'ouverture aux autres ; il pourrait participer à l'effervescence de la création et de l'expression artistique ; il pourrait enfin développer ses qualités d'athlète et mettre ses capacités physiques au service de l'esprit.

La toute première option de concentration, en 1983, fut… la danse ! Le programme devait permettre à l'élève d'acquérir la technique de la danse classique et de connaître

Le chorégraphe Eddy Toussaint

l'environnement culturel qui s'y rattache. Le collège n'avait ni studio ni salle de spectacle, mais beaucoup d'enthousiasme et un professeur de talent, Eddy Toussaint, qui fut directeur artistique des Ballets Jazz – une troupe de ballet moderne réputée dans le monde entier –, et ancien confrère de Michel Loiselle, professeur au collège, qui devint ensuite adjoint au directeur. Les élèves qui le désiraient suivaient des cours, étudiaient, s'exerçaient et, à la fin de l'année, offraient un spectacle à leurs amis… tout en obtenant une note que leurs professeurs intégraient à leur bulletin. Ils apprenaient plus que la danse : un art à la discipline très exigeante qui pouvait former un caractère mieux que bien des matières de classe traditionnelles !

Avec la danse, bientôt suivie de plusieurs autres secteurs d'activités, le collège mettait sur pied son système de **concentrations** variées, qui fait aujourd'hui la fierté de ses élèves et l'envie de bien d'autres. Il fallut bien des années pour parvenir à l'ensemble des choix actuels, dont on peut maintenant admirer la panoplie complète – et originale – offerte aux élèves du collège.

Les concentrations, totalement intégrées au programme scolaire des élèves comme on les retrouve encore aujourd'hui, ont été officiellement présentées dans leur ensemble en 1993. Elles se partageaient alors en quatre grandes catégories : **Arts-Études**, **Éducation internationale**, **Sciences** et **Sports-Études**, chacune avec ses propres subdivisions.

Monsieur Jean-Claude LaPierre, maître d'œuvre des dossiers tels que la politique de valorisation de la langue française, les concentrations et l'évaluation des apprentissages.

La danse

L'informatique

La photo

L'art culinaire

La musique

127

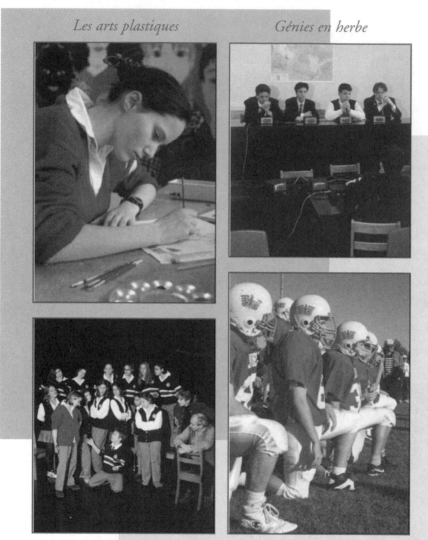

Les arts plastiques　　　*Génies en herbe*

Le théâtre　　　*Les sports*

La concentration Arts-Études vise le développement du pouvoir créateur et propose l'éducation artistique comme instrument privilégié d'expression de soi. On veut ici donner un sens aux perceptions que les jeunes ressentent et veulent exprimer dans des réalisations d'ordre visuel, sonore, gestuel ou verbal. L'élève se donne alors la chance de développer son pouvoir créateur. En plus de la danse, on y retrouve aussi l'art culinaire, les arts, les communications (journalisme et multimédia), la photographie, le théâtre, la scénographie, l'infographie et la musique. En tout, neuf concentrations qui permettent d'acquérir une formation artistique de base.

L'Éducation internationale favorise le développement de la personne par l'ouverture interculturelle. On y propose l'apprentissage de l'espagnol, la coopération internationale et la connaissance de diverses nations. Pourquoi ? Pour connaître et comprendre le monde, ses conflits, ses problèmes et ses structures économiques. Pour découvrir ou approfondir la responsabilité de chacun face à la communauté mondiale et la formation interculturelle qui permet de s'engager au service de la paix.

La concentration Sciences offre à l'élève une culture scientifique et tend à explorer des sphères d'activités complémentaires, comme les programmes de Génies en herbe, d'informatique et de sciences biologiques. Ce genre d'études permet de plus grandes connaissances dans des domaines qui attirent l'attention de notre société à cause du besoin que l'on ressent de les maîtriser. C'est un approfondissement du savoir au service des besoins quotidiens.

Enfin, un dernier secteur complexe et bien rempli, celui des **Sports-études**, qui répondait à une préoccupation majeure chez bien des jeunes. Dans cette concentration, l'élève trouve l'encadrement nécessaire qui lui permet d'atteindre à la fois l'excellence dans une discipline sportive *et* la réussite scolaire. Il pourra alors pratiquer le badminton, le basket-ball, le flag-football, le football, le golf, le hockey, la natation, le patinage artistique (avec ou sans danse), le rugby, le soccer, les sports équestres, les sports de glisse et le volley-ball, tout en poursuivant sérieusement ses autres cours du programme régulier !

Mentionnons qu'une des concentrations les plus récentes, l'informatique, est devenue une obligation pour tous les élèves. Ce qui a engendré des dépenses exceptionnelles : quatre ans après son installation, le laboratoire contenait un équipement valant 400 000 $. Ça se comprend si l'on considère que la moyenne des collèges dispose d'un ordinateur pour 20 élèves, et que Rosemont en compte un pour 10, et parfois même 8 élèves...

Celui ou celle qui ne peut trouver deux ou trois sujets attrayants dans un tel univers manque sûrement d'imagination ! Le Collège des Eudistes a devancé toutes les autres maisons d'enseignement secondaire de Montréal avec ce concept d'unification des diverses forces de l'adolescent, lui permettant ainsi d'augmenter ses chances d'épanouissement personnel.

On cherche à offrir à chaque élève une formation vraiment personnalisée. Le programme des concentrations est un moyen privilégié d'amener l'élève à développer harmonieusement ses talents par l'effort, la discipline et l'engagement, tout en assurant la réussite scolaire. Dans cet esprit, chaque concentration présente une façon différente et originale d'assurer à chacun et chacune une éducation supérieure en même temps qu'un développement intégral et bien équilibré. Évidemment, le collège doit s'adapter à certaines exigences des disciplines. Par exemple, la session du golf doit débuter dès le mois d'août, vu qu'elle se termine obligatoirement en octobre ! Mais de novembre à mars, on trouve le moyen de poursuivre l'entraînement à l'intérieur par des cours théoriques, avant de retourner sur le terrain, chaque semaine, en avril et mai.

Évidemment, l'intégration des concentrations à l'intérieur du programme d'études régulier demande beaucoup de souplesse et de collaboration de la part du personnel enseignant. Aussi, l'élève doit s'attendre à un plus grand nombre d'heures passées au collège : normalement, 38 ou 40 heures par semaine, dont 2 ou 4 heures de concentrations, insérées dans les programmes individuels, ordinairement entre 12 h 45 et 14 h 30. Cela suppose deux horaires de cours, l'un commençant à 8 h 10 pour se terminer à 14 h 30 et un autre, de 9 h 05 à 15 h 25.

Certaines des disciplines ajoutées font partie de l'enseignement général. Par exemple, en 1re et 2e secondaire, tous les élèves doivent obligatoirement suivre des cours de musique, découvrir le théâtre et s'initier à l'informatique. En 3e année, leurs choix individuels vont les exempter des cours faisant partie de leurs concentrations. Bref, pour chacun et chacune, un programme sur mesure pour un épanouissement personnel.

Avec le temps, il a fallu également suivre l'évolution des innovations à l'intérieur d'une même discipline sportive. Par exemple, aujourd'hui, les sports de glisse comprennent la planche à neige, le ski alpin, le télémark et même le mini-ski! Une fois, les élèves de l'option Théâtre sont allés à Paris, pendant que ceux de l'option Musique se rendaient à New York et l'équipe de hockey, en Suisse! Qui aurait pu imaginer, il y a à peine quelques années, un tel éventail de choix, avec autant de possibilités, inséré dans un programme scolaire! Et même aujourd'hui, dans bien des régions et dans de nombreuses familles, on demeure surpris d'apprendre tout ce qu'offre le Collège Jean-Eudes à ses élèves pour qu'ils puissent grandir harmonieusement! Pas étonnant non plus que des parents choisissent ce Collège pour telle ou telle concentration, de même que les professeurs.

Le volet sportif, pour ne citer que celui-là, a pris une place enviée par bien d'autres : on y compte 600 élèves formant 38 équipes dirigées par 38 entraîneurs pour 12 disciplines différentes. Avec comme résultats des championnats régionaux nombreux. Tout cela, sans rien enlever aux Génies en herbe ou aux Études internationales…

Tournée amicale de hockey juvénile en Suisse, en mars 2000.

Football cadet AA, champions du Bol d'Or 2000 et 2001.

Option théâtre : tournée parisienne, en 2000.

Premier prix d'harmonie au Gateway Festival, New York, en mai 2000.

*Génies en herbe : tournoi des Jeunes démocrates à Québec,
en 2002. Médaillés d'or et d'argent.*

*3ᵉ secondaire, projet latin/arts,
Italie, avril 2003.*

*Voyage humanitaire :
République Dominicaine, avril 2003.*

Génies en herbe : voyage culturel à Londres et à Paris, avril 2003.

LE GOÛT DE L'ART

« Pour les élèves et un grand nombre de profs, dira l'un d'entre eux, *c'étaient des moments de joie, d'amitié, de charité et de générosité. Nous étions heureux de faire plaisir et de voir tant de gens aussi heureux que nous… »*

On ne peut citer toutes les expériences stimulantes mises sur pied par les professeurs et les élèves du collège, tout simplement parce qu'elles sont trop nombreuses. On peut retenir un secteur d'activités, cependant, qui peut illustrer l'esprit de collaboration intense dans l'engagement des groupes et l'effet bénéfique qui en résultait.

Au cours des années 70, la nuit de Noël, les élèves présentèrent, durant trois années successives, le *« Noël sur la place »* d'Henri Ghéon. Après la messe de minuit, élèves et parents furent invités, par le service de la pastorale, à réveillonner tous ensemble. Albertine, l'épouse de Victorien Tardif, prépara le buffet géant : 700 livres de fèves au lard, 500 pâtés à la viande et une montagne de sucreries ! Les élèves entraînèrent tout ce joyeux monde dans la musique, les chansons et la danse. L'atmosphère de famille s'installa ainsi au cœur de l'institution pour ne plus jamais s'en séparer. La rencontre entre professeurs, élèves et parents devint vite une habitude et une expérience enrichissante pour tous.

À la même époque, à l'occasion de ces messes mémorables, s'inscrivait dans la vie du collège une nouvelle passion partagée par le directeur et par les élèves : l'amour de la musique.

Yves Paquet, de troisième secondaire, n'avait que 15 ans quand il devint l'accompagnateur officiel du directeur du chant. Comme, au début, il n'y avait pas de piano au collège, il apportait son accordéon, et un autre élève, sa guitare, pour soutenir le chant. Ce n'est qu'en 1979 que naîtra la première véritable

La chorale du collège, dans les années 1970.

chorale de Victorien Tardif, qui lui consacra tout son cœur jusqu'à son départ du collège, en 1991 : ce jour-là, les élèves lui remirent une « carte d'adieu » longue de sept mètres et couverte de 500 signatures… Yves Paquet demeura, pendant une vingtaine d'années, l'assistant aussi généreux que compétent auprès de ces amoureux de chant et de musique.

Entre-temps, un événement assez brutal vint frapper la vie pastorale qui s'épanouissait de multiples façons. À cause du manque de locaux, du nombre toujours croissant d'élèves et du besoin de faciliter leurs travaux, la direction dut prendre la décision de transformer la chapelle en… bibliothèque ! Au moins, elle pouvait servir de nombreuses heures chaque jour, et tous les élèves savaient en profiter, à l'exception de Noël et de Pâques, où les célébrations religieuses retrouvaient leur ancien lieu de prière. Mais ce fut dans la grande salle du cégep de Rosemont que la jeune chorale, formée d'une quarantaine d'élèves de première secondaire, présenta son premier concert, pour la joie des enfants et la fierté des parents.

« Le père Voisine et le père Duguay me demandèrent d'agrandir cette chorale, se rappelle Victorien Tardif. *Sans diminuer pour*

La chapelle jusqu'en 1968. Elle abrite maintenant la bibliothèque.

autant mes cours de math, d'enseignement religieux, d'animation, de travail à la pastorale, j'ai commencé le recrutement dans les cinq années du secondaire. Je fus comblé par le nombre de participants. Les messes de Noël devenaient dignes de mention. Le père Voisine y ajoutait du piquant en engageant des professionnels comme les Pratte, Bécher, Romain Pelletier, Yolande Dulude et bien d'autres qu'il me serait trop long d'énumérer. La célébration de Pâques devenait aussi importante que celle de Noël. Les Sept paroles du Christ, le Messie de Haendel, Jésus-Christ Super Star, chanté et joué comme une pièce de théâtre, furent tous au programme. J'étais fier de ma chorale... »

Un coup de chance : le comédien et directeur de troupes Gilles Latulippe est le père du président de la chorale, élève au collège. Il invite, un jour, les amis de son fils à une émission de télévision, puis il offre son Théâtre des Variétés pour un concert de fin d'année. Plus de 900 parents sont venus applaudir les 78 élèves qui composaient cette jeune chorale déjà renommée. Encouragée par ces expériences enrichissantes, la direction du collège se convainquit encore davantage d'un besoin de plus en plus criant : celui d'une salle de spectacles. Elle vit le jour avec un studio de danse et un atelier de théâtre lors de l'agrandissement du collège en 1987, répondant ainsi au rêve longuement entretenu du père Voisine. Les arts avaient vraiment fait leur nid au Collège des Eudistes.

LES ACTIVITÉS SE MULTIPLIENT

Les années passent. Et on retrouve toujours au collège le goût d'innovation et de collaboration professeurs-élèves qui s'était formé le long de son histoire. Les rencontres professeurs-parents-élèves n'ont pas cessé de produire des fruits appréciés des trois groupes. Et de stimuler les élèves à s'engager dans des avenues nouvelles et sans cesse renouvelées.

En 1996, par exemple, des élèves de 4e et 5e secondaire ont eu l'idée d'une « *Semaine de l'histoire* » pendant laquelle se tiendraient des débats sur des événements historiques. Le but : développer chez les jeunes une passion pour l'histoire, la rendre plus vivante et s'en approcher par des moyens plus dynamiques que ceux de la classe régulière.

Le groupe s'est alors permis de structurer un projet qui s'étendait sur les quatre prochaines années. Ils se sont offert des invités comme le général Roméo Dallaire, la lieutenant-gouverneur Lise Thibault, le journaliste Jean-François Lépine et l'ancien grand chef de la nation wendat-huronne, Max Gros-Louis !

Ajoutez à cela des visites et des expositions allant des objets d'histoire canadienne du Musée McCord au saint suaire de Turin et bien d'autres encore. C'est dire à quel point le collège permet la prise d'initiative, la créativité et l'audace pour la réalisation de projets inédits.

*Visite du général Roméo Dallaire et M. Sylvain Christin,
professeur d'histoire, le 21 avril 1997.*

*Le général Roméo Dallaire discutant avec des élèves,
le 21 avril 1997.*

Visite de Max Gros-Louis, le 17 avril 2000

Semaine de l'histoire au Collège Jean-Eudes

Les élèves reçoivent la première femme Lieutenant-Gouverneur, Lise Thibault

Visite de la Lieutenant-Gouverneur,
Lise Thibault, en février 1998.

On sait combien les activités sportives peuvent être coûteuses pour l'élève et surtout pour ses parents : les équipements et les déplacements à eux seuls peuvent faire sauter bien des budgets familiaux. À cela, il faut ajouter le salaire d'entraîneurs spécialisés et les coûts des infrastructures particulières assumés par le collège. Quand l'équipe de hockey partit faire une tournée de confrontations en Suisse, il fallut l'aide des parents et une contribution particulière des élèves.

Les élèves inventèrent donc un moyen pour aider au financement de leurs disciplines préférées : la vente de clémentines ! Ils en offrirent des caisses à tous ceux qu'ils connaissaient de près ou de loin, à partir des élèves eux-mêmes jusqu'aux professeurs, aux parents et aux voisins, aux passants de la rue, aux habitués des centres commerciaux, bref à tous ceux et celles qu'ils pouvaient approcher d'une façon ou d'une autre. L'expérience fut conservée. Elle s'est avérée non seulement efficace pour trouver les fonds nécessaires à la poursuite de leurs activités, mais aussi utile à la prise de conscience des responsabilités inhérentes aux choix que l'on fait, de diverses façons, dans une vie de jeune ou d'adulte. Le succès de l'entreprise donna même l'idée, aux élèves de l'option danse, de vendre à leur tour du café en grain autour d'eux !

D'autres activités sont également onéreuses : quand les élèves de l'option théâtre passent deux semaines à Paris, il faut trouver un moyen de partager les coûts, ou quand ceux de l'option musique choisissent d'aller entendre leurs interprètes favoris en concert à New York, les dépenses individuelles peuvent être assez élevées. Même chose quand les sportifs affrontent en compétition les élèves de collèges américains. D'où la nécessité, très bien comprise des élèves, de s'engager personnellement dans des activités qui permettent de financer leurs rêves.

Les élèves ont d'autres occasions de partager des moments de fraternité et d'échange. Par exemple, en camping « sauvage » pour ceux de troisième, qui, pendant deux ou trois jours, se sont installés dans un champ, près de lieux d'intérêt touristique. Ou encore lors d'un méchoui, où l'on faisait griller des agneaux, que l'on dégustait entre la baignade et la danse ! Les animateurs prirent également l'habitude d'organiser les « classes rouges (automne), vertes (printemps), blanches (hiver) » permettant ainsi aux élèves et aux professeurs de conjuguer études et plein air, pendant une semaine, dans un climat d'échange et de partage.

On le voit, l'équipe de cinq animateurs, assistée de surveillants complémentaires, est liée autant à la vie des élèves qu'aux activités des professeurs. Le but : offrir une éducation complète et un développement intégral de l'élève dans un environnement le plus sain possible. Il existe même une collaboration étroite entre les surveillants-éducateurs du collège et le service de police voisin où règne une confiance réciproque.

L'équipe des cinq surveillants-éducateurs, en 2002.

Les élèves ne sont donc jamais seuls dans leurs divers engagements. L'équipe des animateurs assiste continuellement à leurs activités. Cette structure d'accompagnement compte cinq surveillants-éducateurs qui, de 7 h à 18 h, veillent à la conduite individuelle ou collective de cette grande communauté de jeunes qui apprennent à grandir et à vivre. Et ce personnel compétent demeure à leur service aussi longtemps qu'ils sont au collège. N'entre pas qui veut au collège! Chaque élève se sait protégé contre toute influence extérieure indésirable ou même toute attitude antisociale qui pourrait apparaître autant à l'intérieur du collège que dans les parcs où ils prennent récréation.

Finalement, comment décrire la vie étudiante sans parler de deux événements qui demeurent une espèce de couronnement, un symbole de l'accomplissement, sinon de l'étape, à la fin de la 5e année du cours secondaire: la messe et le bal des finissants!

Il est vrai que, dans toutes institutions semblables, des activités d'envergure existent pour marquer ce moment particulier de la vie des élèves. Mais on trouvera difficilement un collège où une messe peut prendre une telle dimension sociale et une telle importance dans la vie d'un grand adolescent!

Pour la réalisation d'un tel projet, il fallait évidemment une collaboration très active des animateurs. L'un d'entre eux, Richard Leroux, directeur adjoint à la vie scolaire, avait en tête le souci de créer un événement mémorable. Une messe? On en doutait autour de lui. En 1988, avec l'aumônier Raymond Judd, il élabora malgré tout une rencontre à l'église où chaque élève, vêtu de la toge et accompagné de ses parents, serait présenté à l'ensemble de l'assemblée, à l'occasion d'une messe. On choisit alors l'église Saint-Bonaventure, que l'on jugeait, avec ses 700 places, de dimension raisonnable.

Par crainte de décoiffer des têtes bien stylisées, on refusa de porter le mortier, cet étrange chapeau à quatre pointes pourtant lié à l'image de toute graduation importante. Mais le goût de le lancer en l'air finit par l'emporter sur la coiffure bien placée quand, quelques années plus tard, le trop grand nombre de participants à la messe obligea tout ce beau monde à se déplacer à l'église Saint-Jean-Baptiste où l'on accueillit 2 300 personnes.

142

Chaque élève pouvait inviter toute sa famille et aussi ses amis ! La messe devint ainsi un lieu de rassemblement unique, à tel point qu'elle prit bientôt une signification plus grande que le bal, dans la tête des élèves : se voir privé de la messe des finissants devint la pire des hantises pour chacun d'entre eux, quelle que soit sa religion. En l'an 2000, on se tourna enfin vers l'oratoire Saint-Joseph pour donner à cette rencontre socioreligieuse une dimension de grandeur à nulle autre pareille.

La messe des finissants et finissantes,
à l'église Saint-Jean Baptiste de Montréal, en 1998.

La messe des finissants et finissantes, en 1999.

Le bal des finissants et finissantes, en 1999.

La messe des finissants et finissantes, à l'Oratoire Saint-Joseph, à Montréal, en 2000.

Monsieur Richard Leroux, directeur adjoint, vie scolaire (2ᵉ cycle) accompagné des trois sœurs Tétreault-Ayotte, toutes finissantes de Jean-Eudes, ainsi que M. Michel Loiselle, directeur adjoint, vie scolaire (1ᵉʳ cycle), à la messe des finissants et des finissantes, en 2002.

Puis, un autre univers s'ouvre devant eux : c'est le soir du bal ! Encore là, les animateurs collaborent au projet des élèves. Les premières années, on s'entendit pour mettre sur chaque table, après le cocktail, trois bouteilles de vin, jusqu'à ce qu'on se rende compte que ces mineurs n'avaient pas le droit de boire de l'alcool dans un lieu public, serait-ce à l'hôtel le mieux tenu de la ville ! En 1993, la direction du collège informa les élèves que l'alcool serait désormais défendu lors du bal. Ils acceptèrent la sanction sans récriminer. L'important était de se faire le plus beau ou la plus ravissante possible, dans le contexte le plus agréable possible, pour conserver le plus marquant des souvenirs avant de se séparer pour d'autres horizons. Certains décidèrent de poursuivre la soirée ailleurs et d'étirer la nuit jusqu'au petit jour. Mais ils étaient bien avertis : la responsabilité du collège se terminait à la sortie de l'hôtel et ne les suivait pas dans leurs autres aventures de l'après-bal. Aux parents, alors, de faire des choix avec leurs enfants !

Le rappel de cette vie de tous les jours, avec les événements qui les marquent le plus, nous a amenés à sauter des années et des étapes. Mais le lien est là : on voit comme les semences, plantées il y 20 ou 25 ans, continuent de porter des fruits de plus en plus importants à des élèves – et à des parents – soucieux d'épanouissement et d'harmonie dans la poursuite d'un projet éducatif.

L'INCORPORATION DU COLLÈGE

On se souvient que durant la réforme de l'éducation, au milieu des années 60, la direction des Eudistes avait bien hésité sur le choix à faire concernant l'avenir du collège. Une première décision concernait le type d'institution : l'enseignement secondaire, plutôt que le collégial, serait offert aux familles de Rosemont, en fidélité aux engagements déjà pris lors de l'ouverture du collège. Une autre suivrait : la structure de l'établissement devrait s'adapter au contexte nouveau. Une suggestion avait été faite par le recteur Clément Légaré, à l'intérieur du rapport qu'il

145

avait soumis à ses confrères : que le milieu prenne en charge l'institution qui avait été l'entière responsabilité des Eudistes. Il avait même écrit : « *C'est la seule solution qui nous paraît aujourd'hui raisonnablement acceptable...* » À l'époque, on n'avait pas cru bon de donner immédiatement suite à cette proposition. Mais, au début des années 80, il devenait de plus en plus évident qu'il fallait s'engager dans cette voie pour que le collège puisse poursuivre sa mission dans les meilleures conditions possible. « *Le collège n'est pas pour les Eudistes même s'il est aux Eudistes. Les Eudistes existent non pour eux-mêmes, mais pour le milieu de Rosemont à humaniser par la culture et à christianiser par la foi et l'amour* », avait écrit le père Légaré en 1968. Au milieu des années 80, la direction des pères Eudistes, en accord avec celle du collège, décida de mettre sur pied une structure de corporation laïque capable de jumeler l'intention des fondateurs aux exigences d'une société nouvelle.

En fait, l'évolution sociale du Québec se poursuivait à un rythme accéléré. Le vent de laïcisation balayait une grande partie des institutions traditionnelles, surtout celles qui étaient, d'une façon ou d'une autre, liées à des groupes religieux. De fait, les communautés religieuses n'avaient plus, ou presque, le personnel capable de répondre à la demande de la clientèle scolaire. Pour survivre convenablement et demeurer d'une certaine façon fidèles à leurs projets originaux, ces institutions devaient trouver de nouvelles formes de présence, dans le milieu qu'elles avaient imprégné de leur générosité. Il fallait s'assurer de la survivance d'un esprit et d'une mission dans un cadre correspondant davantage au contexte nouveau. C'est ce que le père Voisine s'engagea à réaliser. Il s'y employa en faisant un choix minutieux des premiers membres du conseil d'administration de la nouvelle corporation laïque du Collège des Eudistes, mise sur pied au mois de mai 1984.

Deux religieux en faisaient partie : Clément Légaré, celui-là même qui avait esquissé, vingt ans plus tôt, l'ébauche du conseil, et Dollard Tremblay, professeur d'expérience. Bernard Landry, administrateur à la Commission des écoles catholiques de Montréal, fut élu président ; avec lui, deux autres gestionnaires reconnus pour leurs compétences administratives : Claude Lorange et Mathieu Girard. L'année suivante, le père Édouard Boudreault, ancien provincial de la communauté des Eudistes ainsi qu'ancien directeur du collège, se joignit au premier noyau, avec Pierre Laramée, avocat, Marcel Belhumeur et Raymond Bernier, tous deux administrateurs soucieux, comme leurs collègues, d'éducation et de compétence. Ils formèrent, avec le directeur général Origène Voisine, la première génération d'une équipe chargée de poursuivre la tradition éducative des Eudistes, tout en libérant la congrégation des responsabilités financières qu'elle ne pouvait plus assumer dans un contexte en évolution constante.

Nuance importante face aux recommandations du rapport Légaré qui avait proposé une structure semblable : le conseil ne comptait, dans ses rangs, aucun représentant des parents, déjà regroupés dans une association autonome, ni des professeurs, dont le syndicat avait tous les pouvoirs pour les représenter adéquatement auprès de la direction du collège. D'ailleurs, le président du syndicat s'est lui-même fortement opposé, lors d'une réunion tumultueuse, à ceux qui réclamaient une présence des professeurs au conseil. Il gagna sa cause, sans que le syndicat subisse la division que l'on aurait pu alors appréhender dans les circonstances.

On comptait alors peu d'exemples de collèges privés qui transféraient leur direction à des administrations laïques. Une première question se posait donc : les religieux n'étant plus propriétaires des lieux, même si deux d'entre eux se trouvaient encore au conseil, pouvait-on garder le nom du « Collège des Eudistes » ou devait-on lui donner un autre nom qui illustrerait plus adéquatement la nouvelle réalité ? Les religieux eux-mêmes préféraient, pour la plupart, effacer leur nom de l'institution pour éviter de fausser la vérité. D'autre part, il avait fallu bien des efforts et bien des peines, de la part des Eudistes, pour donner au collège une réputation très enviable qu'il ne devait pas perdre dans l'anonymat, d'autant plus que les anciens tenaient au nom de leur Alma Mater. Même le syndicat, pourtant bien laïc, se sentait attaché à ses origines! De plus, il ne fallait pas inquiéter les parents qui voyaient dans le nom du collège une garantie de sauvegarde d'un esprit auquel ils tenaient très fort.

Le collège au fil des ans

Collège des Eudistes
3535, boul. Rosemont, Montréal H1X 1K7

De 1953 à 1968

Collège des Eudistes de Rosemont
3535, boul. Rosemont, Montréal H1X 1K7

De 1969 à 1989

Collège Jean-Eudes
3535, boul. Rosemont, Montréal H1X 1K7

De 1990 à aujourd'hui

Après moult discussions, échanges et, pourrait-on dire, négociations, on parvint, cinq ans plus tard, à la solution qui semblait être sinon le parfait compromis au moins le plus acceptable par l'ensemble des parties en cause: le Collège des Eudistes devint le Collège Jean-Eudes, avec tout ce que ce nom contient de fidélité à son passé autant que de présence à une réalité nouvelle.

Le climat du collège fut-il alors changé de quelque façon ? Il faut bien répondre franchement non, car, en fait, si le conseil d'administration s'enrichissait de compétences nouvelles, la structure interne du collège n'était aucunement changée, de l'avis de tous ceux – direction, professeurs et élèves – qui vécurent l'événement au sein de l'institution. La vie devait se poursuivre sur un même élan visant l'éducation globale dans le respect des personnes, avec la même collaboration entre la direction et le personnel du collège.

Chez les professeurs, le syndicat conservait sa structure propre qui datait déjà de plusieurs années. À ses débuts, il avait choisi de s'affilier à la Confédération des syndicats nationaux (CSN). Mais rapidement, des enseignants jugèrent que les intérêts de la centrale ne correspondaient pas toujours aux leurs : elle était beaucoup plus liée à l'enseignement public et au gouvernement, lequel ne favorisait pas plus qu'il le fallait, à certaines époques, l'enseignement privé ! Après deux années d'affiliation, des syndiqués commencèrent à s'interroger sur leur premier choix. Le nouveau

Le document d'incorporation

président était alors Serge Boudreau, qui avait été élève de l'ancien cours classique, puis professeur avant de devenir plus tard directeur adjoint aux études du collège. Pour lui comme pour d'autres de ses collègues, le syndicat privé semblait mieux correspondre aux attentes du milieu. Ce qui n'était pas l'avis de tous, évidemment. Finalement, les membres choisirent de se désaffilier de la CSN et formèrent leur propre syndicat. Les salaires furent ajustés à ceux du secteur public, les cotisations baissèrent, les griefs furent quasi inexistants et les problèmes anticipés par les adversaires du syndicat privé ne se matérialisèrent jamais. La nouvelle corporation ne pouvait que se réjouir d'un tel climat de travail entre personnel et direction.

LA PASTORALE DANS LA PLURALITÉ

Le changement de structure aurait évidemment pu transformer des éléments clés de l'histoire du collège. Pensons, par exemple, à la pastorale, qui aurait pu prendre un tout autre visage, ou même s'effacer ou disparaître, avec le départ des religieux. Ce ne fut pas le cas, et son évolution s'est poursuivie avec le souci de répondre aux attentes spirituelles d'une société en pleine évolution, car le collège attirait déjà des jeunes de tous les quartiers de Montréal ainsi que de plusieurs origines ethniques et de religions diverses. Il fallait ici faire le lien entre la tradition catholique, à laquelle Jean-Eudes demeurait attaché, et l'ouverture aux divers courants religieux. Jean-Eudes devint vite un point de référence pour les autres collèges qui s'étaient engagés dans des chemins semblables.

Le père Eymard Duguay était lui-même eudiste et connaissait très bien l'esprit qui animait les membres de sa communauté au moment de l'incorporation du collège. Il sut faire le pont nécessaire au passage et mettre sur pied un service de pastorale accueillant, où chacun et chacune trouveraient une aide à sa démarche personnelle, en même temps que le partage avec les autres. Au départ, il put compter sur l'appui de professeurs de religion qui apportaient leur aide à son activité pastorale. Puis, en 1996, un jeune prêtre, André Labelle, vint s'ajouter à l'équipe ; malgré le départ de son prédécesseur et des professeurs qui collaboraient avec lui, l'aumônier sut entretenir le climat de respect et d'ouverture caractéristique d'une pastorale moderne.

Avec lui, les activités se sont poursuivies ou développées. Parmi elles, l'Oasis, qui permet à des jeunes de niveau primaire du quartier de profiter, régulièrement, de l'aide des jeunes du collège dans leurs études. La campagne des Paniers de Noël se poursuivit chaque année, avec la collaboration très active et toujours originale des professeurs dans leurs classes, pour financer 60 ou 70 paniers offerts aux moins favorisés des paroisses environnantes. Les élèves furent aussi invités à servir, à l'occasion, les repas au Chic Resto Pop, pour se rendre compte personnellement de la pauvreté et de la misère d'un monde qu'ils risquent de côtoyer sans vraiment le voir. C'est la façon adoptée pour, selon les mots de l'aumônier, « transformer le milieu au nom de Jésus-Christ ». Dans le total respect des valeurs de l'ensemble. On ne peut oublier que le collège compte, parmi ses élèves, des jeunes issus d'un grand nombre d'origines ethniques différentes, avec ce que cela comprend de variétés dans les religions et les traditions.

Vingt-cinquième anniversaire de l'ordination du père Eymard Duguay. À l'extrême gauche : André Labelle, maintenant employé du Collège depuis 1996. Cinquième élève à partir de la gauche : Benoit Léonard, maintenant employé du collège depuis 1986.

Livraison des paniers de Noël 1997

*Le frère Emmett John, dit « Pops »,
en visite au collège, avec le père
Eymard Duguay, en 1995.*

*Célébration d'une messe en plein air
par André Labelle, lors d'un camp
de pastorale, en 1986.*

Livraison des paniers de Noël 2002

Puis, à la rentrée 2002, un laïc, Robert Laurin, prit la relève. Fort d'une impressionnante expérience auprès de jeunes du secondaire, il présenta une vision pastorale essentiellement axée sur des projets concrets, des activités proposées aux élèves, liées à leurs propres préoccupations humaines, sociales ou spirituelles. En tant que responsable de leur engagement, il oriente et structure leur action. Bien sûr, il lui faut plus de patience que s'il prenait tout en main ! Mais il croit en l'Esprit qui agit en eux, lentement, respectueux du rythme lié à leur cheminement personnel. De plus, conscient du cadre même où il se situe, il insère la pastorale dans le projet pédagogique que suivent les élèves : le contexte d'une maison d'éducation, où toute activité, quelle qu'elle soit, doit servir à la formation de la personne. On est au collège pour apprendre, non seulement l'enseignement religieux mais aussi l'engagement spirituel.

Une terre fertile : celle de la justice sociale. Un geste concret : le départ de 22 jeunes, accompagnés de trois adultes, pour visiter des familles d'ouvriers, la plupart exploités, en République Dominicaine. Autre projet : une collaboration active avec Amnistie internationale. Important : que la démarche provienne des élèves eux-mêmes, jamais embrigadés, jamais forcés, toujours encouragés à trouver en eux les ressources qui motivent leur action.

Un comité de pastorale ? Oui, à leur mesure, selon les attentes des jeunes. Une fête de Noël significative ? Oui, selon le besoin d'expression ou de réflexion des jeunes.

Comment traduire, dans des mots, ce type de pastorale ? Son responsable la définit ainsi : « C'est Jésus-Christ en action dans le milieu scolaire par un engagement branché sur les valeurs évangéliques. C'est un ensemble de projets, d'actions réfléchies, pertinentes, signifiantes... » Réfléchir, proposer, cheminer, accompagner, prier, agir.

La pastorale scolaire apparaît donc comme le souci de mettre Jésus-Christ en action dans le milieu scolaire et dans la société, avec une pédagogie de cheminement de foi qui se fait par accompagnement : être et marcher avec les jeunes, principalement dans leur engagement dans des expériences où l'on peut désigner les valeurs évangéliques. Les activités doivent favoriser la croissance humaine, morale, spirituelle et religieuse des jeunes. Pour cela, il faut se mettre à l'écoute de ce qu'ils vivent dans leur quotidien : projets, aspirations, craintes, rêves, idéal, espérances et désespoirs. Et ainsi permettre d'approfondir le message du Christ. Mais aussi, proposer une démarche dans le respect de ceux et celles qui sont fidèles à d'autres traditions ou à d'autres cheminements spirituels.

Ainsi décrite, la pastorale de Jean-Eudes devient un lieu de dynamisme. Elle projette, par ses engagements au cœur de la société, la vision nouvelle d'une maison d'enseignement privé catholique fidèle à sa mission au début du XIXe siècle.

LA VIE SCOLAIRE EN ÉVOLUTION

On en connaît l'essentiel, qui se trouve autant dans l'enseignement général que dans celui des concentrations, autant dans la vie culturelle que dans les activités sportives, autant dans la collaboration entre maîtres et élèves qu'avec les parents.

Mais les activités diverses de la vie scolaire évoluent avec le temps, chaque année et même plusieurs fois par année, selon les besoins exprimés et les ressources qui peuvent être mis à la disposition de l'ensemble.

Par exemple, il y a quelques années, on n'aurait pas cru en la nécessité d'avoir un programme de prévention à la toxicomanie et à l'alcoolisme. Ce n'est pas parce que l'usage de drogue et d'alcool est absolument défendu au collège, avec un degré de tolérance zéro pour les hypothétiques contrevenants, que les élèves ne risquent pas d'être sollicités à l'extérieur, comme le sont tous les jeunes de leur âge. La direction à la vie scolaire a donc mis sur pied des conférences, avec des spécialistes de la question, pour les drogues comme pour l'alcool, pour les élèves comme pour leurs parents. On ne peut tout prévoir ni tout empêcher. Mais on peut s'assurer de deux choses : une, le collège ne sera jamais un lieu de consommation ou de commerce de ces produits ; deux, les parents auront été mis convenablement au courant des habiletés nécessaires à la communication et à la discussion franche avec leurs enfants. On sait par ailleurs que la collaboration entre les surveillants du collège et les policiers du quartier peut jouer un rôle efficace dans ce type de prévention active.

Mais il n'y a pas que les drogues illicites qui peuvent nuire aux jeunes : tous les « anabolisants » que l'on peut se procurer en vente libre, dans toutes les pharmacies, semblent devenir de plus en plus tentants pour les adeptes de gros muscles et de haute performance. Malheureusement, le sport amateur fait compétition aux athlètes professionnels dans ce domaine. Le collège a donc mis sur pied un programme de sensibilisation et d'information, en collaboration avec un expert de l'extérieur et l'ensemble des entraîneurs. Même si la compétition demeure un enjeu dans diverses disciplines, on respecte un système de valeurs qui doit aider les jeunes à faire des choix judicieux dans la gouverne de leur propre vie.

Autre phénomène nouveau dont on entend parfois parler dans certaines institutions : le problème du « taxage », tout nouveau mot de la langue française qui exprime une réalité tout aussi nouvelle dans les milieux scolaires. Le taxage est violent : des individus agressifs se donnent le droit d'imposer une « taxe de protection » à des plus jeunes ou à des plus petits, à défaut de quoi les récalcitrants risquent d'être sévèrement pénalisés. S'ils en voyaient le moindre indice, les élèves savent qu'ils doivent immédiatement porter plainte auprès de la direction pour éviter qu'ils deviennent eux-mêmes victimes d'un tel marchandage au collège.

La formation au secourisme a aussi pris de l'importance, pour se préparer à une intervention rapide en situation d'urgence. On va plus loin : un psychologue apprend aux élèves à gérer le stress qui apparaît à la veille des examens, comment préparer son étude, comment s'assurer d'une bonne maîtrise de son temps. Vraiment, on tente de penser à tout ce qui apparaît comme support utile à une génération en pleine ébullition.

Au-delà de ces aides pédagogiques, le collège offre aussi à ses élèves, comme à leurs parents, un Programme d'aide, à caractère confidentiel, d'orientation psychosociale, pour supporter celui ou celle qui manifeste certains besoins particuliers liés à son évolution personnelle, souvent pour des difficultés d'ordre affectif ou relationnel. Une petite équipe spécialisée, formée de quatre intervenants disponibles pour écouter, soutenir, accompagner les personnes dans leurs besoins d'aide. Un animateur demeure relié à des ressources d'informations et d'interventions. Des élèves peuvent même jouer un rôle efficace auprès de leurs camarades. Toujours dans le respect du principe que l'élève est le premier responsable de sa vie. Et avec la collaboration des professeurs et des animateurs en contact avec la personne. Vraiment, l'aide la plus discrète, la plus personnalisée et la plus efficace que l'on peut souhaiter pour parvenir à une bonne gestion de la relation au quotidien.

DES ESPACES EN EXPANSION

Bien sûr, à cause de la réputation du collège et du nombre toujours grandissant de candidatures, la question du nombre d'élèves est demeurée, au cours des années, toujours assez problématique.

Dans les années 70, les professeurs avaient, dans une lettre d'entente, accordé à la direction le droit d'augmenter ce nombre maximal, entente qui a survécu à toutes les négociations. Il faut remarquer que c'était par pure générosité et confiance dans leur collège que le personnel concerné avait accepté de s'imposer des normes plus élevées qu'ailleurs. Au départ, pour la survie du collège ; puis, pour son développement. Avec des moyens réduits, il fallait offrir davantage : des concentrations plus nombreuses, des locaux plus adaptés, des équipements plus récents. Quand, par exemple, on implanta l'usage des ordinateurs, la direction investit 60 000 $ dans le laboratoire de l'informatique ; quatre ans plus tard, le montant d'investissement en informatique dépassait 400 000 $… Ce qui engendra une spécialité originale qui mit Jean-Eudes au sommet de l'enseignement informatique. Plus encore, le succès qui suivit cette implication nouvelle dans une réalité toute neuve suscita la création d'un organisme spécialisé – Dexor – qui s'engagea, un certain nombre d'années, dans le service et l'enseignement auprès de groupes extérieurs au collège. Donc, les activités toujours plus nombreuses exigèrent un effort supplémentaire de la part des enseignants, ce qui fut compensé par un montant forfaitaire global que se partageaient les professeurs de ces classes plus nombreuses.

Cependant, il devenait de plus en plus évident que le collège devait offrir de nouveaux locaux pour répondre aux exigences de ce type d'enseignement. Ce ne fut jamais le désir d'accroître le nombre d'élèves qui engagea les diverses directions du collège dans des travaux d'agrandissement, mais bien le souci d'offrir à des élèves déjà présents les locaux nécessaires à leur formation.

On peut considérer la construction du Centre Étienne-Desmarteau comme le premier agrandissement que s'est imposé le collège pour répondre aux besoins des élèves. Avant le Centre, les jeunes ne profitaient pas de locaux adéquats ou nécessaires à leur développement physique. Le collège ne répondait même pas aux exigences du Ministère dans ce domaine! D'accord, l'entente pour la construction et l'utilisation du Centre Étienne-Desmarteau fut bien exceptionnelle; il n'en reste pas moins qu'elle a su mettre à la disposition du collège, comme du quartier, des locaux exceptionnels qui s'ajoutaient aux espaces disponibles du collège.

Puis, en 1987, on s'est dit qu'il fallait un lieu de rencontre plus approprié que les corridors et les classes, une cantine plus grande, des locaux plus adéquats pour les sciences, pour les arts, pour tous les services qui s'ajoutaient aux programmes des élèves. Aujourd'hui, on ne peut imaginer le collège sans son Agora et tout ce qui l'entoure, même si elle paraît encore parfois trop petite. La musique que la radio du collège y diffuse tous les midis en remplit tous les coins : oreilles trop sensibles, s'abstenir…

La salle Jean-Eudes

L'agora, la place publique depuis 1987.

Un autre espace d'importance s'est ajouté, cette année-là, pour le plus grand bien des élèves et le plus grand bonheur des gens du quartier : la salle de spectacle Jean-Eudes. Encore là, on retrouve le souci de collaboration avec le milieu.

La salle contient 410 places ; son utilisation est partagée environ à 50 % par le collège et 50 % par la collectivité environnante. Et son utilisation est extrêmement variée.

Ainsi, tous les matins, des cours de ballet se donnent sur la scène qu'on avait construite en fonction d'un tel usage : son plancher est fait d'un bois qui absorbe les chocs que s'imposent les danseurs. Mais l'après-midi et le soir, la salle devient partie de la Maison de la culture du quartier, qui se disperse dans un certain nombre de locaux environnants. Une autre partie du temps de partage sert à des groupes qui veulent présenter des spectacles de théâtre, de magie, de musique ou de danse. Ajoutons à cela l'usage qu'en fait aussi le collège pour des conférences, des réunions de parents ou d'élèves, bref, pour diverses rencontres requérant un espace aussi grand qu'accueillant. Le responsable, Jean Pierre Marsan, a lui-même ses exigences : seulement des techniciens professionnels peuvent approcher les équipements techniques !

L'an 2002 est témoin d'une nouvelle phase d'agrandissement, peut-être la dernière, que le collège a dû entreprendre pour encore répondre aux besoins des élèves. Cette fois, les travaux ne servent pas à ajouter au nombre d'élèves : les 1450 qui s'y trouvent représentent un maximum que le collège n'entend pas dépasser. Mais il faut de nouveaux locaux de classes, une cantine plus grande, des aires de jeu qui dégageraient un peu l'Agora et profiteraient aux élèves qui doivent se rendre aux parcs voisins ou sur le terrain de stationnement du Centre Étienne-Desmarteau pour se détendre après le repas. On doit construire sur le toit, à côté du clocher, pour trouver l'espace encore disponible et respecter les normes municipales. Mais on ne peut utiliser que les semaines de vacances pour les plus gros travaux : quand les classes reprennent leur cours normal, en septembre, les élèves, comme les professeurs, réclament un climat de paix et de concentration…

Monsieur Normand Martin, gérant des ressources matérielles et financières.

Au cœur de ces nombreuses transformations au cours des ans, un homme essentiel se retrouve à toutes les étapes : Normand Martin, directeur des Ressources matérielles du collège, qui a mis son talent, sa passion et toutes ses énergies à veiller sur l'institution à laquelle il a consacré sa vie.

Dernière phase d'agrandissement, espère-t-on : le Collège Jean-Eudes a trouvé ses dimensions maximales et ne devrait plus, à moins d'un miracle du saint fondateur, subir de nouvelles extensions dans le futur.

LA VÉRITABLE EXPANSION

S'il faut agrandir encore le collège, ce sera dans un mode tout autre : celui de l'accès aux études secondaires privées offert à tous les enfants qui veulent s'y engager, qu'ils viennent des milieux les plus fortunés ou des milieux les plus défavorisés.

En 1999, cela faisait 30 ans que le père Voisine se dévouait au service du collège: il jugea que le temps était venu pour lui de quitter l'institution qui avait été le cœur de sa vie et à laquelle il avait donné le meilleur de lui-même. Pas facile de remplacer un tel «personnage», à la personnalité débordante de jovialité et au talent exceptionnel de bâtisseur. Poursuivre la mission du collège dans les voies qu'il avait ouvertes représentait un immense défi pour son successeur.

Carton d'invitation à la soirée d'adieux du père Origène Voisine.

Le choix du conseil d'administration se posa sur Paul Boisvenu, un éducateur qui avait exercé sa profession dans divers milieux. De Rouyn-Noranda il se rendit au Tchad, en Afrique, pour revenir au pays et travailler comme consultant en mesure et évaluation pour divers ministères du gouvernement du Québec, tout en devenant chargé de cours à l'Université de Sherbrooke et à l'Université de Montréal. Il fut ensuite conseiller pédagogique au Collège Édouard-Montpetit, directeur adjoint aux affaires pédagogiques à l'École nationale d'aérotechnique et finalement directeur des études au cégep du Vieux-Montréal, avant de prendre la direction du collège. Son type de direction collégiale et son dynamisme communicatif lui permettent de poursuivre le renouvellement dans la tradition, selon l'esprit du collège depuis sa fondation.

On se souvient que le projet d'un collège à Rosemont a germé dans la tête du cardinal Léger, qui voulait offrir la possibilité de faire des études classiques, et donc d'accéder à l'université et aux professions dites libérales, aux fils d'ouvriers. Non pas seulement ou exclusivement à eux ; mais à eux autant qu'aux autres ! Et ce fut la première clientèle du Collège des Eudistes : les enfants de cols-bleus des environs immédiats. Ces parents, souvent peu fortunés mais pourtant soucieux d'un épanouissement de vie pour leurs enfants, trouvaient les moyens de les faire étudier au collège à des coûts que les Eudistes s'efforçaient de garder les plus bas possible. On a même vu des Pères trouver, dans leurs poches ou dans celles de leurs amis, les montants nécessaires aux frais de scolarité trop élevés pour les plus défavorisés. Petit à petit, cependant, les origines familiales des élèves se diversifièrent ; ils vinrent de tous les quartiers de Montréal et de toutes les classes sociales. Aussi, à cause des réductions d'octrois gouvernementaux et de l'augmentation du nombre de services offerts au collège, les frais de scolarité ont dû graduellement augmenter. Malgré tout, le revenu moyen des familles des élèves est encore bien inférieur – parfois la moitié – à celui des familles d'autres collèges de niveau égal. Et le collège conserve au plus bas niveau le taux de participation des parents aux coûts généraux de l'éducation dont profitent leurs enfants.

Même que l'émission *Enjeu,* de Radio-Canada, a présenté un exemple qui illustre bien l'effort que font des parents qui veulent à tout prix offrir à leurs enfants *« le meilleur encadrement possible »*. On a ainsi pu voir un père de famille, simple préposé aux bagages chez Via Rail, avec un revenu brut de 44 000 $ par année, envoyer au collège trois de ses huit enfants, dont deux profitent de bourses… Ce n'est qu'un cas parmi tant d'autres qui démontre bien qu'à côté de gens plus fortunés, des jeunes de revenus fort limités peuvent étudier avec succès au Collège Jean-Eudes. L'enseignement privé n'est pas réservé qu'aux riches : Jean-Eudes fait plus que sa part pour ouvrir ses portes à tous les jeunes de talent qui veulent réussir leur vie.

Diversité des origines

Pour ces derniers, la Fondation Jean-Eudes offre chaque année des bourses à des élèves méritants qui ne pourraient pas facilement poursuivre leurs études dans le secteur privé sans une aide financière. Régulièrement, la Fondation organise des activités de financement. Les sommes ainsi recueillies sont mises à la disposition du collège pour permettre à ceux et celles qui disposent de plus petits revenus de poursuivre les études dont ils rêvent. Sans la Fondation, plusieurs diplômés, aujourd'hui au service de la société, n'auraient jamais réussi à atteindre leur but.

Mais on a voulu aller plus loin et se rendre jusqu'à ces familles à très faible revenu, souvent monoparentales, qui n'ont jamais imaginé qu'elles pourraient offrir des études supérieures à leurs enfants pourtant doués et désireux d'étudier.

Collège des Eudistes de Rosemont
350 CONVIVES AU 3e BRUNCH DE LA FONDATION JEAN EUDES

par Michel Sénécal

Le Collège des Eudistes est une institution bien connue dans l'enseignement à Rosemont mais sa fondation l'est un peu moins. À sa 3e année d'existence elle se porte pourtant bien et une récente célébration le démontrait clairement.

C'est ainsi que quelques 350 invités assistèrent à un brunch-bénéfice au grand Salon de l'hôtel Queen Elizabeth il y a 2 semaines.

Lors de ce dîner un hommage fut rendu au docteur Marcel Comtois, professeur du collège depuis de nombreuses années. Ce dernier devient ainsi le 3e détenteur de cet honneur toujours remis à l'occasion d'un brunch semblable.

La Fondation Jean Eudes devient ainsi de plus en plus connu et par le fait même le montant de la fondation augmente proportionnellement.

Comme toute fondation vous aurez probablement deviné que les fonds servent à octroyer des bourses d'études de façon à permettre au plus grand nombre de jeunes possibles de recevoir de l'éducation collégial de qualité.

Sous la présidence actuelle de Monsieur Serge De Gagné la Fondation Jean Eudes se préparait ensuite à la tenue de la «course de la fondation» qui avait lieu en fin de semaine dernière. Il s'agissait de 3 courses, dont une de 10km, visant également à amasser des fonds.

L'invité d'honneur du 3e brunch de la Fondation Jean Eudes était le docteur Marcel Comtois qui a reçu un souvenir de cette journée des mains du président sortant de la fondation, Maurice Sauvé.

Le Journal de Rosemont, du 29 mai 1984.

Souper de homard

La Fondation du collège Jean-Eudes vous souhaite la plus cordiale bienvenue
Le 7 juin 2002

Le 7 juin 2002, plus de 700 personnes prirent part au souper de homard.

C'était d'abord un rêve du directeur du collège, Paul Boisvenu, qui cherchait un moyen concret pour réaliser ce qui pouvait demeurer une utopie : revitaliser le rêve du cardinal Léger et protéger ainsi la vocation originale du collège. Le rêve du directeur est devenu le projet de tout le Collège Jean-Eudes, avec la collaboration exceptionnelle d'une fondation essentiellement consacrée à la lutte contre la pauvreté chronique des familles : la Fondation Lucie et André Chagnon.

Paul Boisvenu, appuyé d'adjoints aussi enthousiastes que lui, décida donc de se présenter à la Fondation Lucie et André Chagnon dont il connaissait la volonté et les ressources. Le couple Chagnon s'était mis dans la tête de briser le cercle de la pauvreté chronique dans certaines familles. Il fallait donc amener des jeunes de ces milieux à poursuivre des études qui leur seraient libératrices.

Monsieur André Rousseau, président du conseil d'administration du collège, M. Paul Boisvenu, Mme Lucie Chagnon et M. André Chagnon, lors de la signature du protocole d'entente avec la Fondation Lucie et André Chagnon.

La Fondation se laissa convaincre par la qualité du projet. Elle s'engagea à offrir 30 bourses, chaque année, à partir de septembre 2002, à des jeunes talentueux pour que le collège les intègre totalement dans ses classes et dans ses structures sans que leur statut n'apparaisse au milieu de l'ensemble. C'est donc dire qu'au bout de cinq ans, 150 bourses auront été attribuées dans le respect total de la dignité des jeunes et de leurs familles. Une raison de plus pour se féliciter du costume obligatoire qui protège les jeunes contre les jugements sociaux que facilite le port de vêtements variés.

Un adjoint, Michel Loiselle, est responsable à plein temps du programme, qui comprend autant le lien avec les familles qu'avec les élèves, qui profitent de l'expérience de mentors pour les soutenir plus personnellement.

On ne pourra plus jamais dire que les collèges privés sont réservés à l'élite sociale chez nous...

L'AVENIR

On y parle de hockey et de vélo, du Cirque du soleil et des piscines environnantes. On passe des dépêches à l'insolite, du jazz aux Francofolies, de l'actualité politique à des rencontres de fraternité ; on commente le dernier film à la mode et le roman qui fait jaser ; on présente un jeu vidéo et des adresses Internet. Bref, on a la vie devant les yeux ; une vie d'adolescent qui s'intéresse à tout ce qui l'entoure alors même qu'il étudie, qu'il prépare ses examens, qu'il grandit de tout son être. Cette description d'intérêts divers se retrouve dans *l'Euditorial,* le journal des élèves du collège.

Le finissant de Jean-Eudes quitte la maison avec la fierté d'en avoir fait un des collèges les plus honorés et les plus honorables du Québec, selon les analyses que transmettent les médias à leurs

Le journal étudiant L'Euditorial,
lors de sa première parution, en janvier 2001.

lecteurs soucieux de juger leurs institutions scolaires. Ce qui semble caractériser le Collège de Rosemont est probablement cette image d'équilibre que l'on peut désirer pour les jeunes qui doivent affronter l'avenir : une formation rigoureuse et complète, un encadrement chaleureux et compétent, une vision sur le monde, un respect du passé, bref, une éducation axée sur l'excellence pour tous ceux et celles qui la recherchent.

L'avenir de ceux qui quittent le collège est souvent tourné vers des possibilités d'études complémentaires exceptionnelles, au Québec comme ailleurs, dans le Canada anglais comme aux États-Unis. Dans la poursuite du plus haut niveau d'épanouissement possible, avec les meilleurs outils disponibles. L'avenir des élèves est celui du collège : la participation individuelle et collective à la construction d'une société plus juste, plus harmonieuse, plus spirituelle, plus profondément humaine.

Ils sont déjà nombreux les anciens de Jean-Eudes qui ont su montrer au monde, dans divers secteurs de la vie sociale, politique, scientifique ou sportive, la qualité de leur engagement, de leur service, de leur souci du monde. Ils sont nombreux les élèves d'aujourd'hui à vouloir suivre la même voie. Le collège mettra toujours tout en œuvre pour les aider à poursuivre leur rêve.

Comme hier, aujourd'hui, demain, toujours.

Le premier Journal des anciens

50 ANS PLUS TARD

En l'an 2003, voici un portrait du Collège Jean-Eudes en quelques chiffres.

- Nombre d'élèves : 1454

- Nombre d'employés 164 dont :

- 62 professeurs d'un âge moyen de 41 ans

- 5 animateurs d'un âge moyen de 41 ans

- 8 cadres d'un âge moyen de 48 ans

- 23 employés de soutien d'un âge moyen de 43 ans

- 66 entraîneurs et professeurs rattachés aux concentrations d'un âge moyen de 35 ans

- Nombre de concentrations : 24

- Nombre de classes : 39

- Frais de scolarité : 2 100 $

- Bourses de la Fondation du Collège Jean-Eudes (en 2001-2002) : 46 450 $ répartis en 46 bourses.

LES DIRECTEURS

Le père Maurice Boivin,
premier supérieur (1954-1959)

Le père Raoul Martin,
second supérieur (1959-1965)

Le père Clément Légaré,
troisième supérieur (1965-1968

Le père Boudreault,
supérieur et recteur (1968-1972)

Le père Origène Voisine,
directeur général et directeur
des études (1972-1999)

Paul Boisvenu,
directeur général (1999-2003)

DES REMERCIEMENTS

Une si belle histoire a besoin de plusieurs soutiens et de fidèles témoins pour se dire dans la vérité et l'objectivité. Ils ont été nombreux à m'offrir leur encouragement, leur parole, leur souvenir et leur affection pour l'institution qu'ils ont vu naître, grandir et s'épanouir. C'est beaucoup grâce à eux si le Collège Jean-Eudes est devenu la Grande école que l'on connaît aujourd'hui. Et si j'ai pu en raconter la vie.

Je remercie donc tous ceux et celles qui ont accepté de me rencontrer, de me parler, de m'écrire, de fouiller le passé, de travailler avec moi. J'espère avoir su transmettre leur amour et leur passion. Sans eux, il n'y aurait pas d'histoire, avec les beautés et les grandeurs qu'elle a retenues.

Sans pouvoir nommer tout un chacun, je ne peux passer sous silence deux collaborations particulières qui ont allégé ma tâche de façon exceptionnelle : au départ, celle du père André Samson, eudiste, responsable des archives, à Charlesbourg, qui m'a instruit de l'histoire de sa communauté ; et, au fil d'arrivée, celle de Lise Parent, technicienne en documentation du collège, à Montréal, qui m'a proposé un grand nombre des photos du livre. Du fond du cœur, de grands mercis.

JEAN-GUY DUBUC

Source des illustrations

Page couverture
Collège Jean-Eudes, archives.

p. 10
Benoit, Michèle, Fours à chaux et hauts fourneaux. *Montréal, Ville de Montréal, c1991. 21 p. Coll. Pignon sur rue; 11.*

p. 12
Collège Jean-Eudes, Archives. Bénédiction du Collège des Eudistes Rosemont.

p. 13
Lachance, Micheline, Dans la tempête, *Montréal, Éditions de l'Homme, c1986, 371 p.*

p. 15
s.a., L'Église de Montréal, *Montréal, Fides, 1986, 397 p.*

p. 16
Georges, Émile, Saint Jean Eudes *Paris, Lethielleux, 1936, 512 p.*

pp. 17, 20
http://www.eudistes.org

p. 21
Gann, Marjorie, Le Nouveau-Brunswick, *Montréal, Grolier, c1998, 128 p.*

p. 22
http://www.eudistes.org

p. 23
http://www.bathurst.ccnb.nb.ca/historique

p. 24
Therrien, Armand, Le Mémorial du Québec, *Montréal, Éditions du Mémorial, 1979, 8 volumes.*

p. 26
Vaillancourt, Raymond, c.j.m., Les Eudistes, *28 p.*

p. 28
http://iquebec.ifrance.com/2iemeguerre/ je_me_souviens_in.htm?

p. 29
http://www.angelfire.com/rock/mtlgraffiti/ angus.jpg

pp. 30-32
Collège Jean-Eudes, archives.

p. 36
Rumilly, Robert, Maurice Duplessis et son temps, *Montréal, Fides, 1973, 2 volumes.*

p. 39
Journal de Rosemont, 18 décembre 1952, collège Jean-Eudes, archives.

pp. 41-50
Collège Jean-Eudes, archives.

p. 54
Le Progrès de Rosemont, 20 juin 1957.

p. 55
La Presse, 2 mai 1959.

p. 56
Collège Jean-Eudes, archives.

p. 57
- Journal de Rosemont, 10 décembre 1959.
- Collège Jean-Eudes, archives.

p. 58
Prospectus, Collège des Eudistes, Collège Jean-Eudes, archives.

p. 60
- *Collège Jean-Eudes, archives.*
- *http://www.jeaneudes.qc.ca/cje/Francais/armoiries.htm*

p. 61
Collège Jean-Eudes, archives.

p. 64
http://www.geocities.com/Athens/Ithaca/7318/images6/DUP5.JPG

p. 67
http://www.mce.gouv.qc.ca/g/html/onq/86/86_18.htm

p. 68
Bourassa, André-G., Refus global et ses environs, *Montréal, Hexagone, c1998, 184 p.*

p. 69
- *Therrien, Armand,* Le Mémorial du Québec, *Montréal, Éditions du Mémorial, 1979, 8 volumes.*
- *Therrien, Armand,* Le Mémorial du Québec, *Montréal, Éditions du Mémorial, 1979, 8 volumes.*

p. 71
Hamelin, Jean, Histoire du catholicisme québécois, *Montréal, Boréal Express, 1984.*

p. 73
- *http://radio-canada.ca/nouvelles/dossiers/revolution-tranquille/img/gerin-lajoie.jpg*
- *Gingras, Paul-Émile,* L'enseignement privé au Québec, *Québec, Direction générale de l'enseignement privé, 1993, 79 p.*

p. 75
Hamelin, Jean, Histoire du catholicisme québécois, *Montréal, Boréal Express, 1984.*

p. 76
Collège Jean-Eudes, archives.

p. 79
http://www.saintemarie.ca/imgs/college_1er.jpg

p. 81
http://www.eudistes.org/externat.htm

p. 82
http://www.jeaneudes.qc.ca/cje/francais/historique.htm

p. 83
Collège Jean-Eudes, archives.

p. 84
CÉGEP de Rosemont, archives.

p. 85
http://www.cslaval.qc.ca/cureantoinelabelle/

pp. 87-90
Collège Jean-Eudes, archives.

p. 93
Samson, André et Jacques Custeau, Les Eudistes en Amérique du Nord 1890-1983, *Charlesbourg, Service provincial des archives, 1997, 210 p.*

p. 94
Monsieur Normand Martin, employé du collège.

p. 98
- *Collège Jean-Eudes, archives.*
- *s.a.,* Les Eudistes, Province d'Amérique du Nord, *Charlesbourg, Congrégation de Jésus et Marie, 1999, 65 p.*

p. 100
Collège Jean-Eudes, archives.

p. 102
s.a., « Hommage au Cardinal Paul Grégoire », In Église Canadienne, Décembre
1993, p. 397-398.

p. 105
http://data2.archives.ca/e/e038/e00094
0985.jpg

p. 106
Therrien, Armand, Le Mémorial du
Québec, Montréal, Éditions du Mémo-
rial, 1979, 8 volumes.

p. 113
Collège Jean-Eudes, archives.

p. 116
s.a., Montréal 1976, Ottawa, COJO,
1978, 3 volumes.

pp. 117-123
Collège Jean-Eudes, archives.

p. 125
TEMBECK, Ira, Danser à Montréal,
Montréal, Presses de l'Université du Qué-
bec, 1991, 335 p.

pp.126-128
Collège Jean-Eudes, archives.

p. 132
- Hockey en Suisse : Peter Schaefer, profes-
seur d'anglais et accompagnateur en Suisse.
- Football : Collège Jean-Eudes, archives.
-Théâtre à Paris : Marie-Josée Gauthier,
professeure de théâtre.

- Musique à New-York : Alain Bergeron,
professeur de musique.

p. 133
- Génies en herbe : Dominic Désilets, res-
ponsable de la concentration et professeur
de français.
- Troisième secondaire ; Collège Jean-
Eudes, archives.
- Voyage humanitaire ; Collège Jean-
Eudes, archives.
- Génies en herbe ; Dominic Désilets, res-
ponsable de la concentration et professeur
de français.

pp. 135, 136
Collège Jean-Eudes, archives.

p. 138
Sylvain Christin, professeur d'histoire.

p. 139
Max Gros Louis : Collège Jean-Eudes, archives.
Lise Thibault : Journal de Rosemont.

p. 141
Surveillants : Collège Jean-Eudes, archives.

p. 143
- Messe des finissants : Famille Tétreault-Ayotte.
- Émilie Famelart, finissante 1999.

p. 144
- Bal ; Émilie Famelart, finissante 1999.
- Messe des finissants et finissantes ; Col-
lège Jean-Eudes, archives.
- Richard Leroux et Michel Loiselle :
Famille Tétreault-Ayotte.

pp. 148-168
Collège Jean-Eudes, archives.

175